비상 독해路

수능 국어 1등급

예비 고등~고등3

수능 개념을 바탕
으로 실전 감각을
길러요

**국어, 독서, 문학,
고난도 독서, 고난도 문학 등**
기출 개념을 익히고
학습하는 수능 예상 문제집

**독서 기본, 독서,
문학 기본, 문학 등**
기출로 실전 감각을
키우는 기출문제집

예비 중등~중등3

영역별 독해 전략을
바탕으로 독해력을
강화해요

비문학 1~3권
독해력을
단계별로 단련하는
중등 독해

어휘편 1~3권
중등 전 과목
교과서 필수
어휘 학습

문학편 1~3권
감상 스킬을
단련하는
필수 작품 독해

초등3~예비 중등

본격적으로
학습 독해 실력을
쌓아요

**비문학 시작편
1~2권**
초등에서
처음 만나는
수능 독해의 기본

비문학 1~2권
초등 독해의
넥스트레벨
고급 독해

문학 1~3권
시험에
꼭 나오는
작품 독해

KB085493

세상이 변해도
배움의 즐거움은
변함없도록

시대는 빠르게 변해도
배움의 즐거움은
변함없어야 하기에

어제의 비상은
남다른 교재부터
결이 다른 콘텐츠
전에 없던 교육 플랫폼까지

변함없는 혁신으로
교육 문화 환경의 새로운 전형을
실현해왔습니다.

비상은 오늘, 다시 한번
새로운 교육 문화 환경을 실현하기 위한
또 하나의 혁신을 시작합니다.

오늘의 내가 어제의 나를 초월하고
오늘의 교육이 어제의 교육을 초월하여
배움의 즐거움을 지속하는 혁신,

바로, 메타인지 기반 완전 학습을.

상상을 실현하는 교육 문화 기업 비상

메타인지 기반 완전 학습

초월을 뜻하는 meta와 생각을 뜻하는 인지가 결합한 메타인지는
자신이 알고 모르는 것을 스스로 구분하고 학습계획을 세우도록 하는
궁극의 학습 능력입니다. 비상의 메타인지 기반 완전 학습 시스템은
잠들어 있는 메타인지를 깨워 공부를 100% 내 것으로 만들도록 합니다.

초등

수능
독해

비문학 2 | 과학·사회·기술
인문·예술·융합

메인북

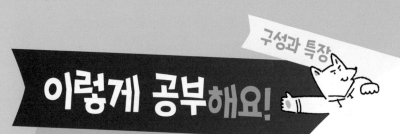

이렇게 공부해요!

메인북 을 완벽하게 활용하는 방법

비문학 지문 독해의 길잡이가 되는

어휘 학습

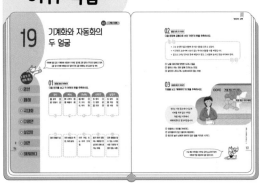

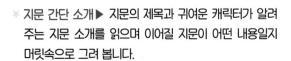

* **지문 간단 소개▶** 지문의 제목과 귀여운 캐릭터가 알려 주는 지문 소개를 읽으며 이어질 지문이 어떤 내용일지 머릿속으로 그려 봅니다.

* **읽기 전 어휘 체크▶** 지문에 사용된 주요 어휘로 구성된 한자어 풀이 문제, 사전 문제, 자료 확인 문제를 풀어 봅니다. 이 문제들을 통해 이어질 지문에 나올 어휘를 미리 학습할 뿐 아니라, 처음 보는 글에서 모르는 어휘가 나왔을 때 글 속에서 어휘의 뜻을 추측하는 방법을 배우게 됩니다.

수능에 가장 가까운 초등 지문으로

지문 학습

* **지문▶** 수능, 모의평가, 학력평가에서 주로 다루어지는 내용을 초등 고학년 수준에 맞춰 다듬은 지문을 읽으며 내용을 파악합니다.

* **독해 포인트▶** 지문을 읽기 전에 지문에서 반드시 파악해야 하는 핵심 내용이 무엇인지 확인합니다.

* **문단별 핵심 태그▶** 지문을 읽고 나서 문단별로 중심 내용을 요약하는 활동을 통해 지문의 내용을 정리합니다.

왜 초등 수능독해 비문학으로 공부해야 할까요?

수능은 학교 시험과 달라서 미리 연습해 두지 않으면 포기하기 쉬워요.
적절한 수준의 지문과 문제로 구성되어 있어 초등 고학년과 예비 중학생이
수능을 연습할 수 있는 책이 바로 초등 수능독해 비문학이랍니다.

가이드북 을 완벽하게 활용하는 방법

내용 이해를 완벽하게 확인하는
문제 학습

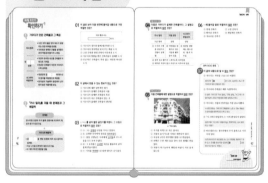

▸ 독해 포인트 확인하기▶ 지문을 읽기 전에 확인했던 독해 포인트의 내용을 도식으로 정리하고, 빈칸 퀴즈를 풀며 지문을 제대로 독해하였는지 확인합니다.

▸ 독해 포인트 문제▶ 지문에서 정리한 내용이 문제로 어떻게 출제되는지 확인하면서 문제를 풀어 봅니다.

▸ 완벽 마스터 문제▶ 정답과 오답의 근거를 지문에서 찾아 문제를 푸는 방법까지 익힘으로써 비문학 독해를 완성합니다.

정답은 빠르게 해설은 친절하게
가이드북

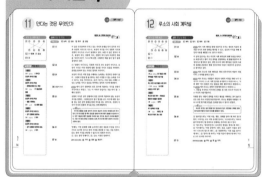

✱ 문제 정답 및 해설▶ 왼편에서 정답만 빠르게 확인할 수도 있고, 오른편에서 자세한 해설을 보며 정답을 찾아가는 방법을 확인할 수도 있습니다.

✱ 〈보기〉 돋보기▶ 고난도 문제로 꼽히는 〈보기〉형 문제! 〈보기〉의 내용까지 꼼꼼하게 확인할 수 있습니다.

수능에 출제되는
비문학 독해 영역

과학 영역의 글

과학 영역의 글은 지구의 생태계나 우주에 대한 탐구, 사물의 구조 및 원리 등을 다루고 있습니다. 과학 영역에서는 생명과학, 지구과학, 물리학, 화학 등을 소재로 한 글이 출제됩니다.

생명과학	인체를 비롯한 생물의 기능과 구조를 설명한 내용
지구과학	지구와 우주에서 발생하는 현상과 탐구 방법을 설명한 내용
물리학	물질 및 에너지와 관련된 현상과 기초 원리를 설명한 내용
화학	물질의 성질·조성·구조 및 그 변화를 설명한 내용

사회 영역의 글

사회 영역의 글은 사람들이 모여 사는 사회에서 일어나는 다양한 현상을 다루고 있습니다. 사회 영역에서는 정치, 경제, 법률, 문화, 언론, 복지 등을 소재로 한 글이 출제됩니다.

사회·문화	사회 구조 및 제도, 공동체의 생활 양식을 설명한 내용
경제	경제 현상과 그러한 현상을 탐구한 경제 이론을 설명한 내용
정치·법	국가의 권력과 법 질서에 관한 이론과 제도를 설명한 내용
언론	언론 매체와 이러한 매체를 통해 형성되는 여론에 대해 설명한 내용

기술 영역의 글

기술 영역의 글은 전문적인 산업 기술에서부터 일상생활에 적용되는 생활 기술의 원리와 방법을 다루고 있습니다. 기술 영역에서는 정보 통신, 전기, 전자, 기계, 소재, 화학 등에 관한 기술을 소재로 한 글이 출제됩니다.

정보 통신	정보의 생산, 수집, 전달 등에 관계되는 기술을 설명한 내용
전기·전자	전류나 전자기장으로 작동하는 기계와 기구 등을 설명한 내용
기계·소재	기계의 작동 원리나 새로운 소재에 대한 기술을 설명한 내용
화학 기술	물질의 성질, 구조와 반응 등을 활용하는 기술을 설명한 내용
에너지·자원	사람들이 필요한 에너지를 얻거나 활용하는 기술을 설명한 내용

수능에는 과학, 사회, 기술, 인문, 예술, 융합의 **여섯 가지 영역**에서 비문학 독해 문제가 출제됩니다. 수능에 나오는 지문은 일상생활과 연관된 익숙한 내용에서부터 전문적인 내용에 이르기까지 주제와 소재의 범위가 매우 넓습니다. 따라서 수능 비문학 독해를 잘하기 위해서는 여러 영역에 걸쳐 다양한 수준의 글을 두루 읽어 두어야 합니다.

인문 영역의 글

인문 영역의 글은 인간의 사상 및 문화를 대상으로, 세상에 대한 인간의 이해와 세상을 살아가는 지혜를 다루고 있습니다. 인문 영역에서는 철학, 사상, 윤리, 역사, 심리 등을 소재로 한 글이 출제됩니다.

철학·사상	인간과 세계가 존재하는 원리와 삶의 본질을 설명한 내용
윤리	인간의 행동에 대한 선악의 판단과 도덕, 규범을 설명한 내용
역사	사회·국가의 역사적 변화나 역사적 사건, 역사 연구 방법을 설명한 내용
심리	인간의 행동과 의식 현상, 심리 과정을 과학적으로 설명한 내용

예술 영역의 글

예술 영역의 글은 예술 작품과 예술가에 대한 비평이나 예술의 역사를 다루고 있습니다. 예술 영역에서는 미술, 음악, 영화, 공연, 영상, 건축 등을 소재로 한 글이 출제됩니다.

미술	그림, 조각, 공예 작품을 감상하고 비평한 내용
음악	기악, 노래, 작곡법, 음악의 역사 등을 설명한 내용
영화·영상·공연	다양한 공연이나 영상물의 특징 및 아름다움을 설명한 내용
건축	건축물의 구조와 아름다움, 효용성 등을 설명한 내용

융합 영역의 글

최근에 나오기 시작한 융합 영역의 글은 과학, 사회, 기술, 인문, 예술의 영역 중 두 가지 이상의 영역을 아우르는 내용을 다루고 있습니다. 융합 영역에서는 과학과 사회, 기술과 인문, 인문과 예술 등 여러 영역의 성격을 아우르는 소재나 주제를 다룬 글이 출제됩니다.

차례

과학·사회·기술
인문·예술·융합

비문학 1 차례 과학 · 사회 · 기술 · 인문 · 예술

01

우주에서 온 손님, 운석

이번에 읽을 글은 운석의 개념과 특징 및 운석이 지닌 가치를 설명하고 있어.
글을 읽기 전에 어휘를 미리 알아 두면 글을 이해하는 데 도움이 될 거야.

✔ 읽기 전 어휘 체크

- 관찰
- 진입
- 낙하
- 변질
- 기원
- 상승
- 기권

01 한자를 통해 뜻 추측하기

다음 한자를 보고 각 어휘의 뜻을 추측하시오.

관찰	진입	낙하	변질	기원
觀 보다 **관** 察 살피다 **찰**	進 나아가다 **진** 入 들다 **입**	落 떨어지다 **낙** 下 아래 **하**	變 변하다 **변** 質 성질 **질**	起 일어나다 **기** 源 근원 **원**
①	②	③	④	⑤

㉠	㉡	㉢	㉣	㉤
성질이 달라지거나 물질의 속성, 가치 등이 변함.	사물이나 현상을 주의하여 자세히 살펴봄.	향하여 들어감.	사물이 처음으로 생김. 또는 그런 근원(근본이나 원인).	높은 데서 낮은 데로 떨어짐.

02 사전에서 뜻 찾기

사전에 나온 유의어와 반의어를 참고하여 '상승'의 의미를 추측하시오.

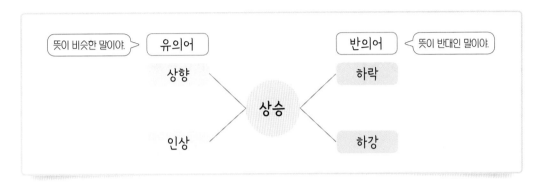

① 높은 곳에서 떨어짐.
② 낮은 데서 위로 올라감.
③ 물가나 주식 따위가 오름.

03 자료를 통해 뜻 추측하기

다음을 보고, '기권'의 뜻을 추측하시오.

기권은 지표면에서부터 대류권, 성층권, 중간권, 열권으로 나눌 수 있다. 유성은 중간권에서 잘 나타나는 현상이다.

① 눈으로 볼 수 있는 범위.
② 지구 표면에 물이 차지하는 부분.
③ 지구를 둘러싸고 있는 대기의 범위.

지금 배운 어휘들은 이어질 글에 표시해 두었어.
어휘의 뜻을 떠올리며 글을 읽어 보자.

01

우주에서 온 손님, 운석

이 글을 읽기 전에 먼저
이 글의 독해 포인트 를 확인해 보자!

독해 포인트

1 지표면에 떨어진 운석의 정체는 무엇인가?

2 운석이 지닌 특징과 가치는 무엇인가?

#1문단 우주 공간에는 ¹천체 사이를 떠돌아다니는 유성체라는 작은 고체 덩어리들이 있다. 유성체는 ²혜성이나 ³소행성에서 떨어져 나온 암석 조각일 수도 있고 태양계를 떠돌던 티끌일 수도 있다. 크기도 모래알만 한 것에서부터 돌덩이만 한 것까지 매우 다양하다. 유성체가 지구의 ⁴중력에 이끌려 **기권**으로 **진입**할 때 대기와의 ⁵마찰에 의해 불타면서 빛을 내게 되는데, 이것이 바로 한밤중에 볼 수 있는 유성이다.

#2문단 기권으로 진입한 대부분의 유성체는 지표면에 도달하기 전에 대기와의 마찰로 생기는 열 때문에 사라져 버린다. 하지만 비교적 크기가 큰 유성체는 대기를 뚫고 지표면까지 떨어지기도 하는데, 이렇게 다 타지 않고 땅에 떨어진 것을 운석이라고 한다. 초당 10~20 ㎞의 엄청난 속도로 지구에 떨어진 운석은 지표면에 충돌구라는 커다란 구덩이를 만들기도 한다. 유성체가 빠른 속도로 대기에 진입할 때 그 표면은 마찰에 의해 녹아 떨어져 나가게 된다. 그러다 지표면에 가까워지면 속도가 줄어들어 마찰열도 줄어들고 표면은 더 이상 녹지 않는다. 마지막에 녹았던 부분은 빠르게 식으면서 얇은 껍질이 되는데, 이를 용융각이라고 한다. 용융각의 안쪽은 녹은 적이 없어서 유성체가 우주 속을 떠돌던 그대로의 모습이 잘 보존되어 있다.

▲ 운석

어휘 태그

1 **천체** 우주에 존재하는 모든 물체. 항성(별), 행성(항성 주변을 도는 천체), 위성(달), 소행성, 혜성, 성단(별들의 집단), 성운(먼지, 수소 등으로 이루어진 우주의 구름) 등.

2 **혜성** 태양을 타원 또는 포물선 모양으로 지나는 작은 천체. 먼지와 얼음으로 된 핵 부분은 태양이 처음 만들어졌을 때의 성분과 거의 같다고 볼 수 있음. 태양과 가까워지면서 가스나 먼지로 된 꼬리가 생김.

3 **소행성** 행성보다 작고 태양 주위를 도는 천체로 화성과 목성 사이에 많은 수가 모여 있음.

4 **중력** 지구 위의 물체가 지구로부터 받는 힘. 항상 지구의 중심을 향해 작용함.

5 **마찰** 두 물체가 서로 닿아 비벼짐.

#3문단 이러한 특징 때문에 운석은 태양계와 지구의 비밀을 풀 수 있는 중요한 자료가 된다. 지구에 떨어진 운석은 화성이나 달에서 온 것도 있지만, 대부분은 화성과 목성 사이에 있는 [6]소행성대에서 온 것이다. 이 물질은 [7]태양계가 형성된 45억 년 전부터 지금까지 존재해 왔다. 그리하여 운석에는 태양계의 탄생, 지구의 **기원** 등을 추측할 수 있는 정보가 들어 있다. 과학자들이 운석을 찾으려는 이유가 여기에 있다. 하지만 운석을 찾는 일은 쉽지가 않다. 떨어지는 유성을 보고 운석을 찾기 위해서는 굉장히 넓은 지역을 감시하거나 아주 좁은 범위의 대기를 오랫동안 **관찰**해야 하기 때문이다.

#4문단 남극은 지구에서 비교적 쉽게 운석을 발견할 수 있는 장소이다. 빙하는 낮은 곳을 향해 꾸준히 이동하는데, 산맥에 가로막히면 뒤에서 밀려오는 힘에 의해 앞부분이 위로 솟게 된다. 위로 솟은 부분이 태양과 바람에 의해 깎이면 빙하에 박혀 있던 운석들이 마침내 모습을 드러낸다. 그래서 남극에서 빙하가 **상승**한 곳을 탐사하면 많은 수의 운석을 발견할 수 있는 것이다. 하지만 이렇게 발견된 남극의 운석을 이용할 경우에는 세심한 주의가 필요하다. 남극의 운석들은 지구에 **낙하**한 지 길게는 백만 년 가까이 된 것도 있어 원래의 성분이 **변질**되었을 수 있기 때문이다.

#문단별
핵심 태그

1문단 유성체가 지구 기권에 들어와 대기와의 마찰로 불타면서 빛을 내는 **#**

2문단 우주 속을 떠돌던 그대로의 모습이 잘 보존되어 있는 **#**

3문단 **#** 의 탄생, 지구의 기원을 추측할 수 있는 중요한 자료인 운석

4문단 **#** 에서 운석이 많이 발견되는 이유와 남극의 운석을 연구할 때 주의해야 하는 이유

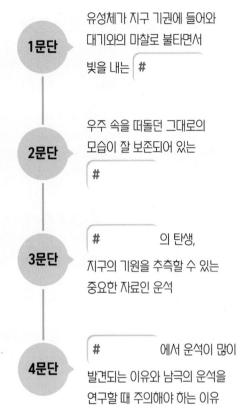

어휘 태그

6 **소행성대** 소행성이 많이 모여 있는 화성과 목성 사이의 지역.
7 **태양계** 태양과 태양의 영향권 안에 있는 주변 천체의 집합. 항성인 태양은 스스로 빛을 내며 위치가 변하지 않는다. 행성은 수성, 금성, 지구, 화성, 목성, 토성, 천왕성, 해왕성으로 태양 주위를 돌고 있다. 행성 주위를 도는 50개 이상의 위성과 화성과 목성 사이에 흩어져 있는 소행성, 태양 주위를 지나는 혜성, 긴 빛줄기를 만드는 유성 등이 있다.

이 사춘기엔 런던 과학아

지문의 난이도는 어땠어?

1 지표면에 떨어진 운석의 정체

우주에는 천체 사이를 떠돌아다니는 작은 고체 덩어리인 **1** ☐☐☐ 가 있음.

유성체가 지구 중력에 끌려 기권으로 들어오면 대기와 마찰하여 불타면서 빛이 나는 유성이 됨.

유성체는 지면에 닿기 전에 대부분 사라져 없어지지만, 다 타지 않고 땅에 떨어지면 **2** ☐☐ 이 됨.

2 운석이 지닌 특징 및 가치

용융각 안쪽은 녹지 않아 우주에 있던 모습 그대로를 보존하고 있음.

\+

운석을 이루는 물질은 **3** ☐☐☐ 가 생길 때부터 존재해 왔음.

과학자들이 태양계의 탄생, 지구의 기원 등을 연구할 때 중요한 자료가 됨.

01 이 글에 제시된 정보가 아닌 것은?

① 운석이 지닌 가치
② 유성이 떨어지는 이유
③ 운석이 빛을 내는 이유
④ 유성체를 구성하는 물질
⑤ 운석을 발견할 수 있는 장소

독해 포인트 문제

02 다음은 '운석'이 만들어지고 발견되는 과정을 설명한 것이다. 적절하지 않은 것은?

우주 공간	① 유성체가 천체 사이를 떠돌아다니다 지구의 중력에 이끌림.
기권	② 기권으로 진입한 유성체는 대기와 마찰하게 됨. ③ 유성체가 불타면서 빛을 내는 것이 유성임.
지표면	④ 모든 유성이 운석이 되어 지표면에 떨어짐. ⑤ 남극에서는 떨어진 지 백만 년 가까이 된 운석도 발견됨.

03 보기 에서 설명하고 있는 '이것'이 무엇인지 이 글에서 찾아 쓰시오.

보기

• 이것은 운석이 마지막에 녹았던 부분이 빠르게 식으면서 만들어진 얇은 껍질이다.
• 이것은 고체에 열을 가했을 때 액체로 되는 현상인 용융 현상과 관련이 있다.

독해 포인트 문제

04 '운석'에 대한 설명으로 적절하지 <u>않은</u> 것은?

① 지표면에 커다란 구덩이를 만들기도 한다.

② 태양계와 지구를 연구하는 중요한 자료가 된다.

③ 녹지 않은 부분에 원래의 모습이 잘 보존되어 있다.

④ 떨어지는 유성을 관찰하면 운석을 쉽게 찾을 수 있다.

⑤ 태양계가 형성될 때부터 존재했던 물질로 이루어진다.

06 두 어휘의 관계가 '태양계 : 지구'의 관계와 유사한 것은?

① 피부 : 살갗　　　② 과일 : 사과

③ 기쁨 : 슬픔　　　④ 검은색 : 흰색

⑤ 어른 : 어린이

완벽 마스터 문제

07 이 글을 통해 추측할 수 있는 사실로 가장 적절한 것은?

① 운석 충돌구는 지구에만 있다.

> 운석이 떨어져 생긴 충돌구는 지구뿐 아니라 다른 천체에도 있으며, 이 글에도 충돌구가 지구에만 있다는 내용은 없다.

② 유성은 한낮에 가장 잘 보인다.

> 한낮에는 태양 때문에 다른 별이나 달도 보이지 않으며, 1문단에서 유성은 한밤중에 볼 수 있다고 하였다.

③ 유성체는 태양에서 떨어져 나온 조각이다.

> 1문단에서 유성체는 [❶　　　　]이나 혜성에서 나온 암석 조각이나 우주를 떠돌던 티끌이라고 하였다.

④ 지구의 대기는 유성체로부터 지구를 보호한다.

> 2문단에서 대부분의 유성체는 [❷　　　　]와의 마찰로 불타 없어진다고 했으므로 적절한 추측이다.

⑤ 열대에서도 남극과 같은 수의 운석이 발견된다.

> 남극에서 운석이 쉽게 발견되는 이유는 빙하가 있기 때문이라고 하였는데, 열대는 빙하가 있는 지역이 아니며 이 글에서 열대에 대해 언급하지도 않았다.

05 이 글을 바탕으로 보기 를 이해할 때, 그 내용으로 가장 적절한 것은?

보기

A 발견 위치에 따른 운석의 개수		B 출발 위치에 따른 운석의 비율	
남극	16,000 여 개	소행성	98 %
그 외 지역	7,000 여 개	화성	1 %
지구 전체	23,000 여 개	달	1 %

– 2000년 「영국 운석 연감」

① A로 보아 지구에는 수십만 개의 충돌구가 존재한다는 것을 알 수 있다.

② A로 보아 운석은 지구 곳곳에서 비슷한 비율로 발견된다는 것을 알 수 있다.

③ B로 보아 화성의 기원을 연구할 수 있는 운석의 수가 많다는 것을 알 수 있다.

④ B로 보아 운석이 주로 화성과 목성 사이의 소행성대에서 온다는 것을 알 수 있다.

⑤ A와 B로 보아 남극에서 발견되는 운석의 상당수가 달에서 왔다는 것을 알 수 있다.

7문제 중에 ＿＿＿＿＿문제 맞혔어!

02 신기루는 어떻게 생길까

이번에 읽을 글은 신기루가 만들어지는 조건과 신기루의 종류를 설명하고 있어.
글을 읽기 전에 어휘를 미리 알아두면 글을 이해하는 데 도움이 될 거야.

읽기 전
어휘 체크

- 사막
- 빙산
- 밀도
- 지표면
- 극지방
- 가열되다
- 이륙/착륙

01 한자를 통해 뜻 추측하기

다음 한자를 보고 각 어휘의 뜻을 추측하시오.

사막			빙산			밀도			지표면			극지방	
沙	모래	사	氷	얼음	빙	密	빽빽하다	밀	地	땅	지	極	다하다	극
漠	넓다	막	山	메, 산	산	度	정도	도	表	겉	표	地	땅	지
									面	겉	면	方	방향	방
①			②			③			④			⑤	

ㄱ	ㄴ	ㄷ	ㄹ	ㅁ
빽빽이 들어선 정도.	남극과 북극을 중심으로 한 그 주변 지역.	남극이나 북극에 산처럼 떠 있는 얼음덩어리.	거의 비가 오지 않아 식물이 자라기 힘든 지역.	지구의 표면 또는 땅의 겉면.

02 문장을 통해 뜻 추측하기

다음 문장에 공통으로 쓰인 '가열되다'의 뜻을 추측하시오.

> • **가열**된 냄비를 맨손으로 만지면 화상을 입기 쉽다.
> • 물이 충분히 **가열**되어 끓기 시작하면 양파를 넣으세요.

① 식어서 차게 되다.
② 흩어져 널리 퍼지게 되다.
③ 어떤 물질에 열이 가해져 뜨거워지다.

03 사전에서 뜻 찾기

다음 항공 용어 사전을 보고 빈칸에 들어갈 알맞은 말을 각각 찾아 쓰시오.

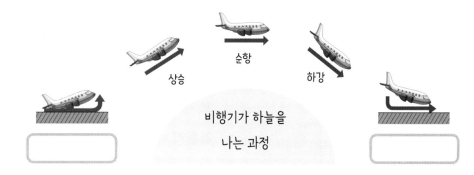

비행기가 하늘을
나는 과정

항공 용어 사전

• **상승**: 비행기가 낮은 데서 위로 올라감.
• **이륙**: 비행기가 날기 위하여 땅에서 떠오름.
• **순항**: 비행기가 바람을 받으며 비행길을 다님.
• **하강**: 비행기가 높은 곳에서 아래로 향하여 내려옴.
• **착륙**: 비행기가 공중에서 활주로나 판판한 곳으로 내림.

> 지금 배운 어휘들은 이어질 글에 **표시**해 두었어.
> 어휘의 뜻을 떠올리며 글을 읽어 보자.

02 신기루는 어떻게 생길까

02
신기루는
어떻게 생길까

이 글을 읽기 전에 먼저
이 글의  를 확인해 보자!

1 신기루와 아지랑이는 언제
생기는가?

2 아래 신기루와 위 신기루는
어떻게 다른가?

#1문단 신기루는 ¹빛의 굴절 때문에 실제 있는 위치가 아닌 다른 위치에서 물체가 보이는 현상을 말한다. 빛은 **밀도**가 작은 따뜻한 공기층보다 밀도가 큰 차가운 공기층을 통과하는 데 시간이 더 많이 걸린다. 이처럼 공기층의 온도와 밀도 차이로 빛이 공기층을 통과하는 시간이 달라지면 빛의 굴절이 일어난다. 그래서 신기루는 공기의 온도 차이가 크고 대기층이 불안정한 곳에서 잘 만들어지는데, 이런 조건을 갖춘 곳이 바로 **사막**과 **극지방**이다. 사막은 **지표면**의 온도가 매우 높고, 극지방은 지표면의 온도가 매우 낮아서 두 지역에서는 서로 다른 종류의 신기루가 만들어진다.

#2문단 먼저 사막에서 만들어지는 신기루를 살펴보자. 사막의 지표면은 햇빛을 받아 뜨겁게 **가열되어** 지표면의 공기가 위쪽보다 훨씬 뜨겁다. 사막에 ²야자수 한 그루가 서 있다고 가정해 보자. 야자수에서 나온 빛은 처음에는 아래쪽을 향하다가 지표면 근처의 뜨거운 공기를 만나면 위쪽으로 굴절되어 우리의 눈으로 들어온다. 사람의 눈은 빛이 오는 방향에 물체가 있다고 생각하기 때문에 야자수가 아래쪽에 거꾸로 있는 것처럼 보인다. 이와 같이 차가운 대기와 지표면 근처의 뜨거운 공기에 의해 물체가 아래쪽에 거꾸로 있는 형태로 보이는 현상을 '아래 신기루'라고 한다.

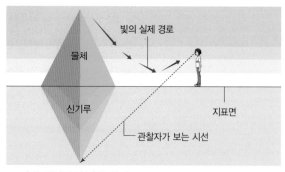

▲ 아래 신기루의 발생 원리

어휘 태그

1 **빛의 굴절** 빛이 어느 한 물질에서 다른 물질로 진행할 때 경계면에서 진행 방향이 바뀌어 꺾이는 현상.
2 **야자수** 야자나무. 야자과의 나무를 통틀어 이르는 말. 대부분 열대 지역에서 자라며, 대표적인 야자수 열매로 코코넛이 있다.

#3문단 다음으로 극지방에서 만들어지는 신기루를 살펴보자. 극지방의 지표면은 눈으로 덮여 있어 햇빛을 ³반사하므로 지표면의 공기는 위쪽의 공기보다 훨씬 차갑다. 이번에는 **빙산**이 있다고 가정해 보자. 빙산에서 나온 빛은 지표면 근처의 차가운 공기를 만나 아래쪽으로 굴절되어 우리의 눈으로 들어온다. 밀도가 큰 차가운 공기에서는 빛의 속도가 줄어들어 빛이 차가운 쪽으로 휘어지기 때문이다. 그래서 빙산이 위쪽에 떠 있는 것처럼 보인다. 이와 같이 지표면의 차가운 공기와 대기의 따뜻한 공기에 의해 물체가 실제보다 위에 있는 것처럼 보이는 현상을 '위 신기루'라고 한다.

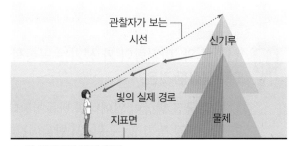

▲ 위 신기루의 발생 원리

#4문단 우리 주변에서도 신기루와 유사한 현상을 찾을 수 있다. 더운 여름날 비행기가 **이륙**이나 **착륙**을 할 때, 또는 ⁴아스팔트 도로 위를 달리는 자동차를 볼 때 피어오르는 아지랑이 말이다. 아지랑이는 늦봄이나 여름에 햇빛이 강하게 내리쬘 때 발생하는데, 햇빛을 받아 뜨거워진 지표면의 공기는 밀도가 작아지므로 위로 올라가게 된다. 이 공기 사이를 통과하는 빛이 이리저리 굴절하여 풍경이 ⁵아른아른하게 보이는 현상이 바로 '아지랑이'이다. 아지랑이는 공기의 온도 차이가 크지 않은 곳에서 발생하는데, 만약 이보다 온도 차이가 더 커지면 신기루가 만들어진다.

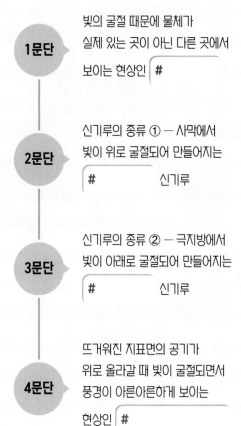

 # 문단별
핵심 태그

1문단 빛의 굴절 때문에 물체가 실제 있는 곳이 아닌 다른 곳에서 보이는 현상인 **#**

2문단 신기루의 종류 ① − 사막에서 빛이 위로 굴절되어 만들어지는 **#** 신기루

3문단 신기루의 종류 ② − 극지방에서 빛이 아래로 굴절되어 만들어지는 **#** 신기루

4문단 뜨거워진 지표면의 공기가 위로 올라갈 때 빛이 굴절되면서 풍경이 아른아른하게 보이는 현상인 **#**

어휘 태그

3 **반사** 빛이나 파동이 일정한 방향으로 나아가다가 다른 매질(파동을 전달하는 물질)을 만나면 나아가던 방향을 반대로 바꾸는 현상.
4 **아스팔트(asphalt)** 석유의 불순물을 없애고 남은 검은색이나 흑갈색의 물질로, 온도가 높으면 액체가 되고 온도가 낮아지면 매우 딱딱해져 도로포장의 재료로 쓰임.
5 **아른아른하게** 잔무늬나 희미한 그림자가 물결 지어 잇따라 움직이게.

02 신기루는 어떻게 생길까?

지문의 난이도는 어땠어?
상 중 하

1 신기루와 아지랑이가 생기는 조건

신기루와 아지랑이는 빛의 **1**☐☐ 때문에 생기는 현상임.

↓

신기루
- **2**☐☐ 의 온도 차이가 크고 대기층이 불안정한 곳에서 만들어짐.
- 사막과 극지방에서 잘 만들어짐.

아지랑이
- 공기의 온도 차이가 크지 않은 곳에 생김.
- 늦봄이나 여름, 햇빛이 강하게 내리 쬐는 곳에 생김.

2 아래 신기루와 위 신기루

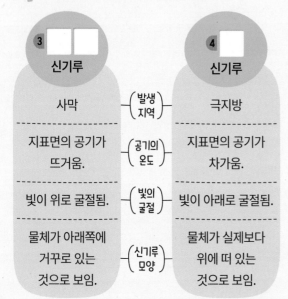

	발생 지역	
3☐☐ 신기루		**4**☐ 신기루
사막		극지방
지표면의 공기가 뜨거움.	공기의 온도	지표면의 공기가 차가움.
빛이 위로 굴절됨.	빛의 굴절	빛이 아래로 굴절됨.
물체가 아래쪽에 거꾸로 있는 것으로 보임.	신기루 모양	물체가 실제보다 위에 떠 있는 것으로 보임.

01 보기 에서 설명하는 현상이 무엇인지 이 글에서 찾아 한 단어로 쓰시오.

보기
- 물체가 실제 있는 곳이 아닌 다른 곳에서 보이는 현상을 말한다.
- 사막이나 극지방에서 자주 일어난다.

_____

독해 포인트 문제

02 '신기루'와 '아지랑이'가 생기는 공통적인 조건으로 적절한 것은?

① 빛의 굴절 현상이 일어나면 만들어진다.
② 햇빛이 잘 들지 않는 곳에서 만들어진다.
③ 더운 날씨보다는 추운 날씨일 때 만들어진다.
④ 공기의 온도 차이가 매우 큰 곳에서 만들어진다.
⑤ 주변에 강이나 바다가 있는 곳에서 만들어진다.

03 다음 중 '아지랑이'를 관찰하기에 가장 적절한 곳은?

① 맑은 여름날, 오후의 아스팔트 도로 위
② 흐린 여름날, 숲속의 시원한 개울가 근처
③ 맑은 가을날, 지표면보다 높은 산 정상 위
④ 비 오는 봄날, 차가 거의 없는 시내 도로 위
⑤ 화창한 봄날, 해질녘의 바닷가 모래사장 근처

04 보기의 그림에 대한 설명으로 적절하지 <u>않은</u> 것은?

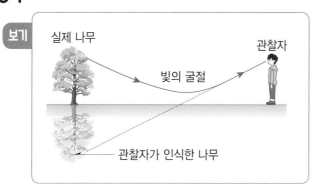

보기
실제 나무
관찰자
빛의 굴절
관찰자가 인식한 나무

① 사막에서 나타나는 신기루이다.
② 관찰자에게는 나무가 거꾸로 보인다.
③ 공기층의 온도 차이가 거의 나지 않는 상태이다.
④ 빛의 굴절로 관찰자는 빛이 지표면 밑에서 왔다고 생각한다.
⑤ 만약 공기층의 밀도가 똑같다면 나무는 관찰자에게 똑바로 보이게 된다.

독해 포인트 문제

05 '아래 신기루'와 '위 신기루'에 대해 정리한 내용으로 적절하지 <u>않은</u> 것은?

	아래 신기루	위 신기루
① 발생 지역	사막	극지방
② 공기의 온도	지표면의 공기가 매우 뜨거움.	지표면의 공기가 매우 차가움.
③ 공기층의 밀도	아래쪽보다 위쪽 공기의 밀도가 높음.	위쪽보다 아래쪽 공기의 밀도가 높음.
④ 빛의 굴절 방향	빛이 아래로 굴절됨.	빛이 위로 굴절됨.
⑤ 신기루의 모양	물체가 거꾸로 있는 것처럼 보임.	물체가 지평선 위에 떠 있는 것처럼 보임.

06 ㉠, ㉡에 들어갈 수 있는 어휘가 바르게 묶인 것은?

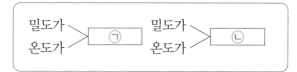

밀도가 ＞ ㉠ 밀도가 ＞ ㉡
온도가 온도가

① 크다 − 작다   ② 높다 − 낮다
③ 길다 − 짧다   ④ 두껍다 − 얇다
⑤ 굵다 − 가늘다

완벽 마스터 문제

07 이 글에서 알 수 있는 내용이 <u>아닌</u> 것은?

① 공기의 온도는 태양과 관련이 있다.

2문단에서 사막의 지면은 햇빛을 받아 공기가 뜨거워진다, 3문단에서 극지방의 지면은 햇빛을 [❶   ]하여 공기가 차가워진다고 하였다.

② 공기의 밀도가 달라지면 빛이 굴절한다.

1문단에서 공기층의 [❷   ]와 밀도의 차이로 빛의 굴절이 일어난다고 하였다.

③ 신기루는 대기층이 불안정한 곳에서 생긴다.

1문단에서 공기층의 온도 차이가 크고 대기층이 불안정한 곳에서 신기루가 생긴다고 하였다.

④ 지역에 따라 발생하는 신기루의 종류가 다르다.

1문단에서 사막에서 만들어지는 신기루와 극지방에서 만들어지는 신기루의 종류가 다르다고 하였다.

⑤ 신기루는 실제로 존재하지 않는 물체가 보이는 것이다.

1문단에서 [❸   ]는 물체가 실제 있는 곳이 아닌 다른 곳에서 보이는 현상이라고 하였다.

7문제 중에
_____ 문제 맞혔어!

03 몸속에도 시계가 있다

이번에 읽을 글은 생체 시계가 연구되어 온 과정과 생체 시계의 역할을 설명하고 있어.
글을 읽기 전에 어휘를 미리 알아 두면 글을 이해하는 데 도움이 될 거야.

☑ 읽기 전 어휘 체크

- ○ 예감
- ○ 시초
- ○ 결합
- ○ 시기
- ○ 요인
- ○ 관여하다
- ○ 주기

01 한자를 통해 뜻 추측하기

다음 한자를 보고 각 어휘의 뜻을 추측하시오.

예감	시초	결합	시기	요인
豫 미리 예 感 느끼다 감	始 처음 시 初 처음 초	結 맺다 결 合 합하다 합	時 때 시 期 때 기	要 중요하다 요 因 까닭, 원인 인
①	②	③	④	⑤

ㄱ	ㄴ	ㄷ	ㄹ	ㅁ
맨 처음.	어떤 일이 일어나기 전에 미리 느낌.	사물이나 사건이 성립되는 까닭. 또는 조건이 되는 요소.	둘 이상의 사물이나 사람이 서로 관계를 맺어 하나가 됨.	어떤 일이나 현상이 진행되는 시점. 때. 날. 무렵.

02 문장을 통해 뜻 추측하기

다음 문장에 공통으로 쓰인 '관여하다'의 뜻을 추측하시오.

> • 우리 업무에 더 이상 **관여**하지 마시오.
> • 이 사건에 **관여**한 사람만 해도 열 명이 넘는다.
> • 나는 내 친구가 이번 일에도 깊이 **관여**하고 있을 것이라고 잘못 생각했다.

① 주동적인 처지가 되어 이끌다.
② 어떤 일에 관계하여 참여하다.
③ 사람이나 물건을 목적한 장소나 방향으로 이끌다.

03 자료를 통해 뜻 추측하기

다음을 보고 '주기'의 뜻을 추측하시오.

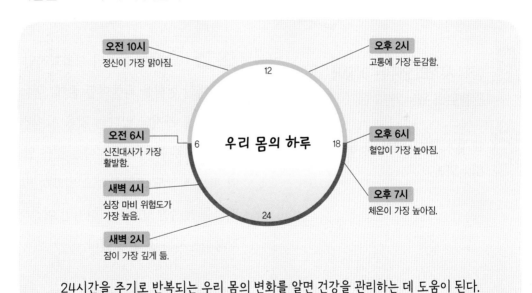

오전 10시 정신이 가장 맑아짐.
오후 2시 고통에 가장 둔감함.
오전 6시 신진대사가 가장 활발함.
오후 6시 혈압이 가장 높아짐.
새벽 4시 심장 마비 위험도가 가장 높음.
오후 7시 체온이 가장 높아짐.
새벽 2시 잠이 가장 깊게 듦.

우리 몸의 하루

24시간을 주기로 반복되는 우리 몸의 변화를 알면 건강을 관리하는 데 도움이 된다.

① 짧은 기간.
② 임무를 맡아보는 일정한 기간.
③ 같은 현상이나 특징이 한 번 나타나고부터 다음번 되풀이되기까지의 기간.

> 지금 배운 어휘들은 이어질 글에 **표시**해 두었어.
> 어휘의 뜻을 떠올리며 글을 읽어 보자.

03
몸속에도 시계가 있다

이 글을 읽기 전에 먼저
이 글의 (독해 포인트)를 확인해 보자!

독해 포인트

1 생체 시계의 연구는 어떻게
진행되어 왔는가?

2 생체 시계는 어떤 기능을
하는가?

#1문단 식물은 일정한 **시기**에 싹이 트고 잎이 나며 동물은 일정한 시기에 잠들었다가 깨어난다. 과학자들은 이러한 생물의 활동 [1]리듬을 조절하는 **요인**을 찾기 위해 연구를 계속해 왔다. 첫 번째 실험은 18세기에 이루어졌다. 프랑스의 천문학자인 드 메랑은 [2]미모사의 잎이 해가 뜨면 펴졌다가 해가 지면 접히는 것을 발견했다. 그는 어두운 곳에 미모사를 두면 잎이 접혀 있을 것이라고 예상했다. 그러나 예상과 달리 미모사는 햇빛이 없는 곳에서도 잎을 펴고 접는 일을 일정한 시각에 ㉠반복하였다. 한편 독일의 식물학자인 진은 미모사가 온도 변화에 따라 잎을 펴고 접는다고 생각하여 실험을 하였다. 하지만 실험 결과 미모사는 온도에 상관없이 하루를 **주기**로 잎을 펴고 접었다. 이러한 실험을 통해 미모사의 활동 리듬을 조절하는 요인은 햇빛이나 온도가 아닌 다른 것이라고 [3]추정하게 되었다.

#2문단 1936년에 독일의 식물학자인 뷔닝은 여러 가지 환경 요인에 대한 실험을 되풀이한 끝에, 생물 내부에 시간의 흐름을 아는 시계를 가지고 있다는 것을 ㉡발견하였다. 그리고 그것을 이용해서 하루 24시간이 지나는 것을 알 뿐 아니라 식물의 경우 꽃이 피는 시간도 조절한다고 발표하였다. 이것이 '생체 시계'라는 개념을 제시한 **시초**이다. 하지만 여전히 생체 시계가 어떤 원리로 작용하는지는 알 수 없었다.

#3문단 1970년대에 이르러 생체 시계를 조절하는 요인이 유전자에 있다는 것이 밝혀졌다. 미국 캘리포니아 공대의 벤저 교수는 제자인 코놉카와 함께 초파리를 연구하여 생체 시계를 조절하는 핵심 유전자를 찾아냈고, 그것을 '피리어드 유전자'라고 ㉢명명하였다.

──(어휘 태그)──

1 **리듬**(rhythm) 일정한 규칙에 따라 반복되는 움직임을 이르는 말.
2 **미모사**(mimosa) 콩과의 한해살이풀로 줄기에 가시가 조금 있음. 잎을 건드리면 잎이 닫히며 아래로 늘어지는 특성이 있음.
3 **추정하게** 미루어 생각하여 판별하여 결정하게.

#4문단 이 연구를 ㉣토대로 미국의 과학자 홀, 로스배시, 영 세 사람은 1984년에 피리어드 유전자를 분리하는 데 성공하였다. 이후 연구를 계속하여 생체 시계가 어떻게 작용하는지 초파리 실험을 통해 그 원리를 명확히 밝혀내었고, 2017년에는 이 연구 결과로 노벨 생리의학상을 ㉤수상하였다. 피리어드 유전자로 만들어진 단백질이 계속 ⁴축적되다 보면, 두 번째 시계 유전자인 타임리스 유전자가 만들어 낸 단백질과 **결합**해 피리어드 유전자의 발현을 억제한다. 이러한 활동이 24시간 주기로 반복되어 생체 시계 역할을 하는 것이다.

#5문단 생체 시계는 생물의 ⁵생장을 조절할 뿐 아니라 생물의 기관과 세포의 기능에 이르기까지 모든 것에 **관여한다.** 또한 빛이나 온도에 따라 환경이 변하거나 낮과 밤의 주기가 변화할 때 기존의 활동 리듬을 다시 조절한다. 인간을 포함한 모든 생물은 이러한 생체 시계를 통해 지구에서 일어나는 일, 월, 연 단위의 규칙적인 변화를 측정하고, **예감**하며, 이에 대비한다. 우리 몸에 있는 생체 시계는 하루 24시간을 주기로 체온, 수면, 감성, 인지 기능 등을 조절한다. 인간의 생체 시계는 수면 패턴을 조절하고, 적절한 행동을 할 수 있는 상태를 유지하며, 적절한 ⁶호르몬을 분비하거나 혈압이나 체온을 조절하는 역할을 한다. 이처럼 우리의 건강과 삶에 큰 영향을 미치는 생체 시계는 앞으로도 꾸준히 연구될 가치가 있다.

#문단별 핵심 태그

1문단 18세기, 생물의 활동 리듬에 대한 첫 실험인 **#** 실험이 이루어짐

2문단 1936년, 생물 내부에 있는 **#** 가 발견됨

3문단 1970년대, 생체 시계를 조절하는 유전자인 '**#** 유전자'를 찾아냄

4문단 1984년, **#** 실험을 통해 생체 시계의 작용 원리를 밝혀냄

5문단 생체 시계는 생장, 체온 조절, 수면 등 생물의 모든 활동에 관여하고, 지구의 규칙적인 **#** 에 대비함

어휘 태그

4 **축적되다** 지식, 경험, 자금 등이 모여서 쌓이다.
5 **생장** 생물체를 이루는 세포가 많아져서 생물체의 크기가 커지거나 무게가 늘어나는 것.
6 **호르몬(hormone)** 동물의 몸속에 있는 혈액 등과 함께 몸의 내부를 돌면서, 다른 기관이나 조직의 작용이 빨리 되게 하거나 혹은 작용을 그치게 하는 물질을 통틀어 이르는 말.

지문의 난이도는 어땠어?

확인하기

1 생체 시계의 연구 과정

18세기 프랑스, 독일	드 메랑과 진은 미모사 실험으로 미모사가 ❶[ ][ ]과 온도가 아닌 다른 요인에 의해 활동 리듬을 조절한다고 추정함.
1936년 독일	뷔닝은 여러 가지 환경 요인에 대한 실험을 하여 생물 내부에 시간의 흐름을 아는 ❷[ ][ ][ ][ ]가 있음을 알아냄.
1970년대 미국	벤저와 코놉카는 초파리를 연구하여 생체 시계를 조절하는 피리어드 유전자를 찾음.
1984년 ~ 2017년 미국	홀, 로스배시, 영은 초파리 실험으로 생체 시계의 작용 원리를 명확히 밝혀냄.

2 생체 시계의 기능

생물의 생장을 조절하고, 생물의 기관과 세포의 기능에 관여함.

╋

빛이나 ❸[ ][ ]에 따른 환경 변화와 낮과 밤의 주기 변화에 따라 활동 리듬을 조절함.

╋

❹[ ][ ]의 규칙적인 변화를 측정하고 예감하며 변화에 대비함.

01 '생체 시계'의 연구 과정을 설명한 내용으로 적절하지 않은 것은?

① 벤저는 생체 시계를 조절하는 핵심 유전자를 찾아냈다.
② 뷔닝은 생물 내에 시간을 인지하고 조절하는 시계가 있음을 발견하였다.
③ 홀, 로스배시, 영은 생물의 생체 시계가 일정한 주기로 작용하는 이유를 밝혀냈다.
④ 진은 온도 변화에 따라 미모사가 잎을 펴고 접는다는 것을 실험을 통해 증명하였다.
⑤ 드 메랑은 햇빛이 생물의 활동 리듬을 변화시키지 않는다는 것을 실험을 통해 알아냈다.

02 '생체 시계'의 기능으로 적절하지 않은 것은?

① 생물의 생장을 조절한다.
② 세포의 구실과 작용에 관여한다.
③ 지구에서 일어나는 규칙적인 변화를 감지한다.
④ 낮과 밤의 주기가 바뀌면 그에 따라 활동 리듬을 조절한다.
⑤ 빛과 온도에 따라 환경이 변해도 기존의 리듬을 유지한다.

03 인간의 '생체 시계'가 하는 역할이 아닌 것은?

① 혈압을 조절한다.
② 체온을 조절한다.
③ 수면 패턴을 조절한다.
④ 학습 환경을 개선해 준다.
⑤ 적절한 호르몬을 분비한다.

04 다음 중 '생체 시계'의 기능과 관련된 사례로 가장 적절한 것은?

① 인간의 뇌는 다른 동물의 뇌에 비해 발달되어 있다.
② 다람쥐는 쳇바퀴를 돌릴 수 있는 능력을 가지고 있다.
③ 지구는 태양의 주위를 주기적으로 돌면서 자전을 한다.
④ 곰이나 고슴도치와 같은 동물들은 겨울에 활동을 중지하고 긴 잠을 잔다.
⑤ 초식 동물들은 자신을 잡아먹는 육식 동물의 공격을 방어할 수 있도록 대비한다.

05 이 글을 바탕으로 〈보기〉를 이해한 내용이 적절하지 않은 것은?

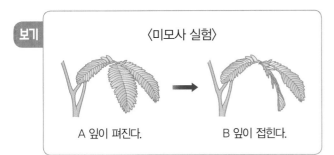

〈보기〉

〈미모사 실험〉

A 잎이 펴진다.   B 잎이 접힌다.

① 미모사는 24시간을 주기로 A와 B를 되풀이한다.
② A와 B는 미모사 안에 있는 생체 시계가 조절한다.
③ 미모사는 A와 B를 매일 일정한 시각에 되풀이한다.
④ 미모사를 햇빛이 없는 곳에 두어도 A와 B를 반복한다.
⑤ 미모사는 온도가 높을 때는 A, 온도가 낮을 때는 B를 유지한다.

06 ㉠~㉤의 한자어를 고유어로 바꾸어 쓴 것으로 적절하지 않은 것은?

① ㉠ 반복하였다 → 되풀이하였다
② ㉡ 발견하였다 → 찾아내었다
③ ㉢ 명명하였다 → 이름 붙였다
④ ㉣ 토대로 → 밑바탕으로
⑤ ㉤ 수상하였다 → 주었다

완벽 마스터 문제

07 이 글의 내용으로 가장 적절한 것은?

① 생체 시계는 유전자에 의해 조절된다.

3문단에서 벤저는 생체 시계를 조절하는 핵심 유전자를 찾아내어 '[❶   ] 유전자'라는 이름을 붙였다고 하였다.

② 인간의 생체 시계 주기는 12시간이다.

5문단에서 인간의 생체 시계는 [❷   ]을 주기로 체온, 수면, 감성, 인지 기능 등을 조절한다고 하였다.

③ 벤저는 생체 시계를 연구한 최초의 과학자이다.

1문단에서 생체 시계와 관련된 첫 실험을 한 사람은 프랑스의 천문학자 드 메랑이라고 하였다.

④ 생체 시계 연구의 첫 실험 대상은 초파리이다.

1문단에서 생체 시계와 관련된 첫 실험은 18세기에 [❸   ]라는 식물을 대상으로 이루어졌다고 하였다.

⑤ 생체 시계 연구는 과학적으로 주목을 받지 못했다.

4문단에서 생체 시계를 연구한 과학자들이 노벨상을 탔다고 했으므로 적절하지 않은 설명이다.

7문제 중에
_____ 문제 맞혔어!

04 간접 광고, 피할 수 없다면

이번에 읽을 글은 간접 광고가 지닌 문제점 및 그 해결 방법을 제시하고 있어.
글을 읽기 전에 어휘를 미리 알아 두면 글을 이해하는 데 도움이 될 거야.

읽기 전
어휘 체크

- 악용
- 각인
- 광고
- 생략
- 대가
- 몰입하다

01 한자를 통해 뜻 추측하기

다음 한자를 보고 각 어휘의 뜻을 추측하시오.

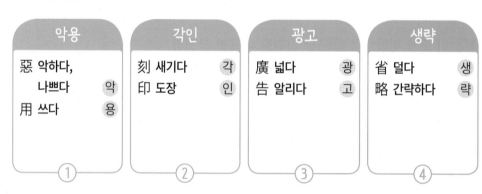

악용	각인	광고	생략
惡 악하다, 나쁘다 악 用 쓰다 용	刻 새기다 각 印 도장 인	廣 넓다 광 告 알리다 고	省 덜다 생 略 간략하다 략
①	②	③	④

ㄱ	ㄴ	ㄷ	ㄹ
전체에서 일부를 줄이거나 뺌.	알맞지 않게 쓰거나 나쁜 일에 씀.	도장을 새김. 머릿속에 새겨 넣듯 깊이 기억됨. 또는 그 기억.	상품이나 서비스에 대한 정보를 매체를 통해 소비자에게 널리 알림.

02 사전에서 뜻 찾기

다음 국어사전을 보고 문장에 쓰인 '대가'의 의미를 찾으시오.

이번 벼룩시장에서는 상품의 대가를 쿠폰으로 받습니다.

국어사전

대가[대ː까]

「1」 물건의 값으로 치르는 돈. ··· ①

「2」 일을 하고 그에 대한 값으로 받는 보수. ···················· ②

「3」 노력이나 희생으로 얻게 되는 결과. 또는 결과를 얻기 위한 노력이나 희생. ······ ③

03 자료를 통해 뜻 추측하기

다음을 보고 '몰입하다'의 뜻을 추측하시오.

박물관의 조명은 관람객이
작품에 몰입할 수 있도록
알맞게 설치되어 있다.

① 갈라져 흩어지다.
② 깊이 파고들거나 빠지다.
③ 구속이나 억압, 부담에서 벗어나다.

지금 배운 어휘들은 이어질 글에 **표시**해 두었어.
어휘의 뜻을 떠올리며 글을 읽어 보자.

04
간접 광고, 피할 수 없다면

이 글을 읽기 전에 먼저
이 글의 독해 포인트 를 확인해 보자!

독해 포인트

1 간접 광고가 지닌 문제점은 무엇인가?

2 간접 광고의 문제점을 해결하기 위한 방법은 무엇인가?

#1문단 우리는 드라마나 예능 프로그램에서 출연자가 특정 상표가 드러나는 옷을 입거나 휴대 전화를 사용하고 자동차를 타는 장면을 본 적이 있다. 이렇게 [1]상업적 의도를 감춘 채 특정 상품이나 기업의 이름을 프로그램에 드러내어 소비자가 알도록 만드는 **광고**를 '간접 광고'라고 한다. 우리나라에서는 2010년 1월부터 간접 광고 제도를 실시하였다. 처음에는 그 [2]규모가 그리 크지 않았지만 관련 산업이 점점 성장하면서 간접 광고의 산업 규모는 매해 커지고 있다.

#2문단 이렇게 간접 광고의 규모가 커지면서 문제점도 생기고 있다. 먼저, 지나친 간접 광고는 프로그램의 질을 떨어뜨리고 시청자가 프로그램에 **몰입하는** 것을 방해한다. 광고주는 간접 광고의 **대가**로 방송 프로그램의 제작비를 지원하는데, 더 많은 제작비를 지원한 광고주일수록 간접 광고를 더 길게 더 자주 넣도록 요구한다. 프로그램 제작자는 제작비를 더 많이 확보하기 위해 과도하게 간접 광고를 넣게 되고, 이는 프로그램의 질을 떨어뜨리는 결과를 낳는다. 예를 들어 드라마의 주인공이 드라마의 내용과 무관하게 특정 상품의 장점을 늘어놓거나 카메라가 특정 제품을 오랫동안 [3]클로즈업해서 보여 주어 드라마의 흐름이 끊기면, 시청자는 드라마에 몰입할 수 없어 결국 채널을 돌리게 된다.

#3문단 둘째, 간접 광고는 시청자에게 특정 기업이나 상품에 대한 [4]무의식적인 **각인** 효과를 불러일으킨다. 이렇게 되면 시청자는 비판적인 판단을 하지 못하고 간접 광고가 다루는 상품을 무의식적으로 신뢰하게 된다. 상품의 장점과 단점을 따져 보거나 다른 상품과 비교해 보는 과정을 **생략**할 가능성이 높아지는 것이다.

어휘 태그

1 **상업적** 상품을 사고파는 행위를 통하여 이익을 얻는 것.
2 **규모** 사물이나 현상의 크기나 범위.
3 **클로즈업(close-up)해서** 영화나 텔레비전에서, 등장하는 배경이나 인물의 일부, 소품 등을 화면에 크게 나타내서.
4 **무의식적** 어떤 것을 스스로 깨달아 알지 못하는 상태에서 일어나는 것.

#4문단 마지막으로, 간접 광고는 광고 시청에 대한 시청자의 선택권을 빼앗는다. 프로그램과 프로그램 사이, 또는 프로그램 중간에 하는 직접 광고는 시청자가 볼 것인지 말 것인지를 선택할 수 있지만, 간접 광고는 프로그램 내에 포함되어 있어 시청자가 광고를 볼 것인지 말 것인지를 선택할 수가 없다.

#5문단 프로그램 제작자는 프로그램의 제작비를 마련하거나 [5]수익을 늘릴 수 있는 방법인 간접 광고를 [6]마다할 이유가 없다. 그렇지만 앞에서 살펴본 것처럼 간접 광고가 가지고 있는 문제점이 있으므로 이를 감독할 수 있는 법이 마련되어야 한다. 정부는 광고주나 방송사가 방송법을 **악용**할 수 없도록, 허용되는 것과 그렇지 않은 것을 명확하게 구별하여 [7]실효성 있는 규정으로 ㉠개선해 나가야 할 것이다. 한편 시청자는 자기 나름의 기준을 가지고 간접 광고를 주체적으로 수용할 수 있어야 한다. 지나친 간접 광고는 프로그램을 시청하는 시청자의 권리를 해치는 것이므로, 이러한 간접 광고에 대해서는 적극적으로 비판의 [8]목소리를 내야 할 것이다.

#문단별
핵심 태그

1문단 상업적 의도를 감추고 특정 상품이나 기업의 이름을 광고하는 #

2문단 간접 광고의 문제점 ① — 프로그램의 # 하락과 시청자의 몰입 방해

3문단 간접 광고의 문제점 ② — 특정 기업이나 상품에 대한 # 효과

4문단 간접 광고의 문제점 ③ — 광고 시청에 대한 시청자의 # 을 빼앗음

5문단 간접 광고의 문제점을 해결하기 위한 # 및 시청자의 태도

(어휘 태그)

5 **수익** 이익을 거두어들임. 또는 그 이익. 기업이 경제 활동의 대가로서 얻은 경제 가치.
6 **마다할** 거절하거나 싫다고 할.
7 **실효성** 실제로 효과를 나타내는 성질.
8 **목소리** 의견이나 주장을 비유적으로 이르는 말.

29

지문의 난이도는 어땠어?

확인하기

① 간접 광고의 문제점

문제점 ①	지나친 간접 광고는 프로그램의 질을 떨어뜨리고 **1**[ ][ ][ ]가 프로그램에 몰입하는 것을 방해함.
문제점 ②	시청자에게 특정 기업이나 상품에 대한 무의식적인 **2**[ ][ ] 효과를 불러일으킴.
문제점 ③	광고를 볼 것인지 말 것인지에 대한 시청자의 선택권을 빼앗음.

② 간접 광고 문제의 해결 방법

정부
- 지나친 간접 광고를 감독할 수 있는 법을 마련해야 함.
- 광고주나 방송사가 방송법을 악용할 수 없도록 허용되는 것과 그렇지 않은 것을 명확하게 구별하여 실효성 있는 **3**[ ][ ]으로 개선해야 함.

시청자
- 자기 나름의 **4**[ ][ ]을 가지고 간접 광고를 주체적으로 수용해야 함.
- 지나친 간접 광고에 대해서는 적극적으로 비판의 목소리를 내야 함.

01 '간접 광고'의 문제점으로 적절하지 <u>않은</u> 것은?

① 시청자가 프로그램에 몰입하는 것을 방해한다.
② 광고 시청에 대한 시청자의 선택권을 빼앗는다.
③ 과도한 간접 광고는 프로그램의 질을 떨어뜨린다.
④ 간접 광고에 노출된 상품을 무비판적으로 구매하게 만든다.
⑤ 다양한 상품에 대한 많은 정보를 제공하여 오히려 선택을 어렵게 한다.

02 프로그램 제작자가 '간접 광고'를 하는 이유로 가장 적절한 것은?

① 직접 광고에 대한 규제가 심해서
② 프로그램의 현실성을 높이기 위해서
③ 프로그램 제작비를 마련하기 위해서
④ 직접 광고보다 광고 효과가 더 좋아서
⑤ 시청자가 직접 광고보다 간접 광고를 선호해서

03 글쓴이가 '간접 광고'의 문제를 해결하기 위해 제시한 의견으로 볼 수 <u>없는</u> 것은?

① 정부는 법으로 간접 광고를 감독해야 한다.
② 정부는 간접 광고의 대가를 같은 가격으로 통일해야 한다.
③ 시청자는 지나친 간접 광고에 대해서 적극적으로 비판해야 한다.
④ 시청자는 간접 광고를 볼 때 자기 나름의 기준을 가지고 있어야 한다.
⑤ 정부는 간접 광고에 대한 규정이 실질적인 효과를 볼 수 있도록 개선해야 한다.

04 보기 는 이 글의 내용 전개 방식이다. 이와 같은 방식으로 글을 쓸 만한 주제로 가장 적절한 것은?

보기

문제점		해결 방법
간접 광고가 지닌 문제점 제시	➡	간접 광고의 문제점을 해결하기 위한 방법 제시

① 환경 오염의 실태와 그 극복 방법
② 농구와 배구의 같은 점과 다른 점
③ 시대별로 변화해 온 여성복의 모습
④ 우리나라 독립 운동가들의 활동 사례
⑤ 외국에 알리고 싶은 우리나라의 관광지

05 글쓴이의 관점에서 보기 를 비판할 때, 그 내용으로 가장 적절한 것은?

보기

최근 한류 열풍에 힘입어 우리나라 방송 프로그램에 등장하는 제품들이 외국에서 큰 인기를 얻고 있다. 이는 기업의 매출 증가에 도움을 주고 있으며 국가 경제 발전에도 긍정적인 영향을 끼치고 있다. 그러므로 간접 광고를 더욱 확대해야 한다.

① 우리나라 제품 대신 현지 제품을 간접 광고로 넣어야 한다.
② 간접 광고보다 직접 광고가 기업의 매출 증가에 더 효과적이다.
③ 간접 광고를 확대하면 제작비 규모만 커질 뿐 수익은 늘어나지 않는다.
④ 한류 열풍이 계속될 수 있도록 관련된 방송 프로그램을 더 많이 제작해야 한다.
⑤ 간접 광고를 확대하면 프로그램의 질이 떨어져 오히려 한류에 악영향을 끼칠 것이다.

06 ㉠ 대신에 쓸 수 있는 말로 적절하지 <u>않은</u> 것은?

① 고쳐 나가야
② 바꿔 나가야
③ 수정해 나가야
④ 허물어 나가야
⑤ 바로잡아 나가야

완벽 마스터 문제

07 이 글의 내용과 일치하지 <u>않는</u> 것은?

① 간접 광고는 상업적 의도를 밝히고 특정 상품이나 기업을 광고한다.

1문단에서는 간접 광고의 개념 및 우리나라의 간접 광고 규모를 밝히고 있다.

② 광고주의 영향력에 따라 프로그램에 들어가는 간접 광고의 양이 달라진다.

2문단에서 많은 제작비를 지원한 광고주일수록 간접 광고를 더 많이 넣도록 요구한다고 하였다.

③ 프로그램 제작자는 간접 광고를 프로그램에 넣음으로써 수익을 늘리기도 한다.

5문단에서는 프로그램 제작자가 간접 광고를 프로그램에 넣는 이유를 밝히고 있다.

④ 간접 광고는 직접 광고에 비해 프로그램을 보는 시청자에게 자연스럽게 노출된다.

4문단에서 간접 광고는 [❶   ] 내에 포함되어 있다고 하였다.

⑤ 간접 광고는 시청자가 간접 광고인지를 알아차리지 못하는 동안에도 광고 효과가 발생한다.

2문단에서 간접 광고는 특정 기업이나 상품에 대한 무의식적인 [❷   ] 효과를 불러일으킨다고 하였다.

7문제 중에

_____ 문제 맞혔어!

05

빛 좋은 개살구, 레몬 시장

이번에 읽을 글은 정보의 불균형으로 시장에서 일어나는 문제를 설명하고 있어. 글을 읽기 전에 어휘를 미리 알아 두면 글을 이해하는 데 도움이 될거야.

읽기 전
어휘 체크

- **불량품**
- **거래자**
- **책정**
- **조성**
- **전형적**
- **조악하다**

01 한자를 통해 뜻 추측하기

다음 한자를 보고 각 어휘의 뜻을 추측하시오.

불량품	
不 아니다	불
良 좋다	량
品 물건	품

①

거래자	
去 가다	거
來 오다	래
者 사람	자

②

책정	
策 꾀	책
定 정하다	정

③

조성	
造 짓다	조
成 이루다	성

④

ㄱ
물건을 사고팔거나 돈을 주고받는 사람.

ㄴ
품질이나 상태가 나쁜 물건.

ㄷ
계획이나 방법, 꾀를 세워 결정함.

ㄹ
무엇을 만들어서 이룸. 분위기나 상황을 만듦.

02 문장을 통해 뜻 추측하기

다음 문장에 공통으로 쓰인 '전형적'의 뜻을 추측하시오.

"
- 심청전은 고전 소설의 **전형적**인 형식이 잘 드러나 있다.
- 수덕사 대웅전은 한국의 **전형적**인 목조 건축 양식으로 지은 건물이다.
- 지윤이가 그린 농촌의 모습은 누구나 생각하는 **전형적**인 농촌의 모습이었다.
"

① 눈으로 볼 수 있는 것.
② 어떤 대상의 특징을 가장 잘 나타내는 것.
③ 다른 사람이나 대상과 뚜렷이 구별되는 것.

03 자료를 통해 뜻 추측하기

다음을 보고 '조악하다'의 뜻을 추측하시오.

조악한 서랍장을
제대로 살펴보지도 않고 샀더니
서랍 문짝이 맞지 않는다.

① 거칠고 나쁘다.
② 꾸밈이나 거짓이 없고 수수하다.
③ 무르거나 느슨하지 않고 몹시 야무지고 굳세다.

지금 배운 어휘들은 이어질 글에 **표시**해 두었어.
어휘의 뜻을 떠올리며 글을 읽어 보자.

05
빛 좋은 개살구, 레몬 시장

이 글을 읽기 전에 먼저
이 글의 (독해 포인트)를 확인해 보자!

독해 포인트

1 경제학에서 말하는 레몬 시장은 무엇인가?

2 정보의 비대칭성을 해소하는 방법에는 무엇이 있는가?

#1문단 레몬은 겉으로는 먹음직스러워 보이지만 너무 시어서 먹기 힘든 과일이다. 이러한 특성 때문에 경제학에서는 '**불량품, 조악하고 품질이 낮은 상품.**'이라는 의미로 '레몬'을 사용한다. 속담 '빛 좋은 ^{1}개살구'는 [　　　㉠　　　]이라는 뜻인데 이때의 '개살구'가 바로 '레몬'이라고 할 수 있다.

#2문단 경제학에서는 제품이나 서비스에 대한 정보가 **거래자** 중 한 쪽에만 있고 다른 한 쪽에는 없는 상황을 '정보의 비대칭성'이라고 말한다. 그런데 ^{2}판매자와 ^{3}구매자 사이에 정보의 비대칭성이 심해지면 품질이 낮은 상품만 많아지는 '레몬 시장'이 형성된다. 이는 구매자보다 판매자가 상품에 대해 더 많은 정보를 가지기 때문이다. 판매자가 품질이 낮은 상품을 품질이 높은 상품인 것처럼 속여 판매하는 상황이 반복되면 문제가 발생하는 것이다.

#3문단 중고차 시장이 ⓐ<u>바로</u> **전형적**인 '레몬 시장'이다. 중고차 판매자는 자신이 팔려는 차가 좋은 차인지 문제가 많은 차인지 잘 알고 있다. 품질이 좋은 차를 내놓은 사람은 최소한 천만 원은 받아야 한다고 생각하고, 나쁜 차를 내놓은 사람은 오백만 원이면 기꺼이 팔려고 한다고 하자. 차에 대한 정보가 부족한 구매자는 사려는 차의 품질을 알아 내기 어려우므로 가격 ^{4}흥정을 할 때 천만 원과 오백만 원의 평균에 해당하는 칠백만 원 정도를 제시할 것이다. 이렇게 되면 좋은 차를 내놓은 사람은 구매자가 제시한 금액이 자신이 원하는 금액보다 낮으므로 차를 팔려고 하지 않을 것이다. 반면 나쁜 차를 내놓은 사람은 구매자가 제시한 금액이 자신이 원하는 금액보다 높으므로 그 차를 주저 없이 팔 것이다.

（어휘 태그）

1 **개살구** 살구보다 맛이 시고 떫은 개살구나무의 열매로, 못난 사람이나 사물 또는 언짢은 일을 비유적으로 이르는 말.
2 **판매자** 상품을 파는 사람이나 기관.
3 **구매자** 물건을 사는 사람이나 단체.
4 **흥정** 물건을 사거나 팔기 위하여 품질이나 가격을 의논함.

#4문단 이런 일이 반복되면 결국 좋은 차는 중고차 시장에서 사라지고 나쁜 차만 많아지는 '레몬 시장'이 형성된다. 그 결과 사람들은 중고차 시장에 나오는 차들의 질이 낮다고 판단하여 중고차의 가격을 더욱 낮게 **책정**하게 되고, 시장에 나오는 중고차의 질은 점점 떨어지게 된다. 이와 같은 상태는 정보가 투명하게 공개되지 않아 판매자와 구매자가 서로를 믿지 못하는 상황이 **조성**되었기 때문에 발생한다. 이러한 정보의 비대칭성은 보험사와 보험 가입자, 고용자와 근로자 사이 등 여러 곳에서 발견할 수 있다.

#5문단 이러한 정보의 비대칭성을 해소하기 위해 거래자들은 '선별'과 '신호 보내기'와 같은 방법을 사용하기도 한다. '선별'이란 정보가 부족한 쪽에서 잘못된 선택을 피하기 위해 거래 상대방의 특성을 파악하려는 노력을 말한다. 가령, 보험에 가입할 때 보험 가입자의 건강 상태에 대한 정보가 부족한 보험 회사는 건강 검진 및 [5]문진표 등을 통해 보험 가입자의 특성을 파악하려고 한다. 반면에 정보가 많은 쪽에서 자신의 제품에 대한 정보를 적극적으로 알림으로써 자신의 제품을 선택하는 것이 잘못된 선택이 아니라는 것을 [6]신빙성 있게 전달하는 것을 '신호 보내기'라고 한다. 농산물을 판매하는 매장에서 친환경 농산물 인증 마크를 붙여 자신이 만든 제품에 대한 품질을 [7]보증한다거나 [8]구직자가 각종 자격증이나 경력 등을 인사 담당자에게 적극적으로 알리는 행위 등이 그 예이다.

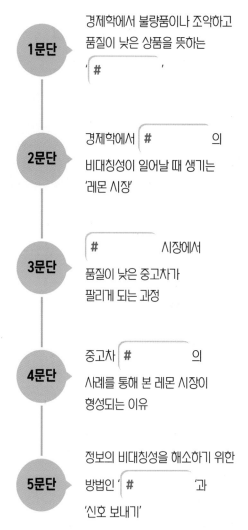

#문단별
핵심 태그

1문단 경제학에서 불량품이나 조악하고 품질이 낮은 상품을 뜻하는 '#　　　　'

2문단 경제학에서 #　　　　의 비대칭성이 일어날 때 생기는 '레몬 시장'

3문단 '#　　　　　 시장에서 품질이 낮은 중고차가 팔리게 되는 과정

4문단 중고차 #　　　　의 사례를 통해 본 레몬 시장이 형성되는 이유

5문단 정보의 비대칭성을 해소하기 위한 방법인 '#　　　　'과 '신호 보내기'

어휘 태그

5 **문진표** 의사가 환자에게 환자 자신과 가족이 앓은 병, 증상, 병이 발생한 시기나 병의 진행 과정 등을 기록하게 하는 표.
6 **신빙성** 믿어서 근거나 증거로 삼을 수 있는 정도나 성질.
7 **보증한다거나** 어떤 사물이나 사람에 대하여 책임지고 틀림이 없음을 증명한다거나.
8 **구직자** 일자리를 구하는 사람.

지문의 난이도는 어땠어?
상　중　하

독해 포인트
확인하기

1 경제학에서의 레몬 시장

레몬: 1 ☐☐☐, 조악하고 품질이 낮은 상품

레몬 시장: 품질이 낮은 제품이나 서비스만 거래되는 시장

레몬 시장의 형성 이유: 제품이나 2 ☐☐☐에 대한 정보의 비대칭성 때문에 거래자 간에 믿지 못하는 상황이 발생함.

2 시장에서 정보의 비대칭성을 해소하는 방법

정보가 부족할 때: 3 ☐☐ 방법 — 잘못된 선택을 피하기 위해 거래 상대방의 특성을 파악하는 것

정보가 많을 때: 4 ☐☐ 보내기 방법 — 자신의 제품에 대한 정보를 적극적으로 알리는 것

01 보기의 빈칸에 들어갈 알맞은 말을 이 글에서 찾아 쓰시오.

> 보기
>
> 구매자와 판매자 사이에 제품에 대한 정보의 비대칭성 때문에 품질이 좋은 상품은 사라지고 품질이 낮은 상품만 남아도는 시장을 ☐☐☐☐☐이라고 한다.

02 다음 중 '정보의 비대칭성'이 나타나는 사례로 적절하지 <u>않은</u> 것은?

① 회사에 투자하려는 투자자가 회사 실적에 대한 정보가 부족한 경우
② 직원을 뽑으려는 고용자가 지원한 사람의 업무 능력을 모르는 경우
③ 중고 거래 사이트에서 판매자가 올린 제품을 실제로 확인할 수 없는 경우
④ 보험 회사가 보험에 가입하려는 사람의 건강 상태나 사고 사실을 모르는 경우
⑤ 마트에서 소비자가 소고기의 생산지, 등급, 축산물 인증 마크를 모두 확인하고 사는 경우

03 이 글의 내용을 고려할 때, ㉠에 들어갈 말로 가장 적절한 것은?

① 비슷하여 견주어 볼 필요가 없는 것
② 겉모양은 그럴듯하지만 실속이 없는 것
③ 원인에 따라 그에 걸맞은 결과가 나타나는 것
④ 일이 이미 잘못된 뒤에는 손을 써도 소용이 없는 것
⑤ 아무리 마음에 들어도 이용할 수 없거나 차지할 수 없는 것

독해 포인트 문제

04 보기의 사례를 '선별'과 '신호 보내기' 방법에 해당하는 것끼리 바르게 나눈 것은?

보기

ㄱ. 언니의 생일에 갈 식당을 예약하기 전에 식당에 대한 리뷰를 검색해 보았다.

ㄴ. 의류 회사에 면접을 보러 간 △△ 씨는 자신이 직접 디자인하여 만든 옷을 입고 갔다.

ㄷ. 여러 중고차 업체 중, 차에 대한 정보를 가장 자세하게 알려 주는 업체에서 차를 샀다.

ㄹ. ○○ 사는 새로 출시된 신발의 품질 테스트 결과와 사용자의 후기를 적극 홍보했다.

	선별	신호 보내기
①	ㄱ, ㄴ	ㄷ, ㄹ
②	ㄱ, ㄷ	ㄴ, ㄹ
③	ㄱ, ㄹ	ㄴ, ㄷ
④	ㄴ, ㄷ	ㄱ, ㄹ
⑤	ㄴ, ㄹ	ㄱ, ㄷ

05 보기는 '중고차 시장'에서 '레몬 시장'이 나타나는 과정을 정리한 것이다. 적절하지 않은 것은?

보기

① 중고차 판매자는 자신이 팔려는 자동차의 품질을 잘 알고 있다. → ② 구매자는 품질이 좋은 차와 나쁜 차의 차이를 알아 내지 못한다. → ③ 품질이 좋은 차의 판매자는 구매자가 제시한 가격이 자신이 생각한 것보다 낮아도 차를 판매한다. → ④ 품질이 나쁜 차의 판매자는 구매자가 제시한 가격이 자신이 생각한 것보다 높기 때문에 차를 판매한다. → ⑤ 품질이 나쁜 차가 자꾸 팔리면서 중고차 시장에서 팔리는 중고차의 질이 점점 낮아진다.

06 밑줄 친 어휘의 의미가 ⓐ의 의미와 다른 것은?

① 내가 좋아하는 사람은 바로 너야.

② 기다리던 체육대회가 바로 오늘이다.

③ 청소년의 꿈이 바로 나라의 미래이다.

④ 평소에 마음을 바로 써야 복을 받는다.

⑤ 내가 가지고 싶어 했던 것이 바로 저것이다.

완벽 마스터 문제

07 이 글의 내용으로 알 수 있는 것은?

① 구매자는 구매하려는 제품에 대한 정보가 없을 경우 구매를 포기한다.

3문단처럼 구매하려는 제품에 대한 정보가 없을 경우 품질이 낮은 제품을 구매하는 경우가 생긴다.

② 정보가 부족한 쪽에서는 정보의 비대칭성을 해소할 수 있는 방법이 없다.

5문단에서 정보가 부족한 쪽에서는 [❶]의 방법으로 대상의 특성을 파악할 수 있다고 하였다.

③ 정보의 비대칭성은 주로 판매자보다 구매자가 정보를 많이 가지고 있어서 나타난다.

2문단에서 주로 구매자보다 판매자가 자신이 팔려는 물건에 대한 정보를 더 많이 가지고 있다고 하였다.

④ 판매자와 구매자 사이에 정보가 투명하게 공개된다면 '레몬 시장'은 사라질 것이다.

4문단에서 [❷]은 판매자와 구매자가 서로를 믿지 못하는 상황일 때 발생한다고 하였다.

⑤ '레몬 시장'이 지속되면 시장에서 파는 상품의 질에 대한 구매자의 기대는 높아질 것이다.

3, 4문단으로 보아 레몬 시장에서 파는 상품의 질은 점점 더 떨어진다는 사실을 알 수 있다.

정보 + 05 질 좋은 개살구, 레몬 시장

7문제 중에 _____ 문제 맞혔어!

06 브랜드를 보호하는 두 가지 이론

이번에 읽을 글은 브랜드 보호와 관련된 혼동 이론과 희석화 이론을 설명하고 있어.
글을 읽기 전에 어휘를 미리 알아두면 글을 이해하는 데 도움이 될 거야.

✅ 읽기 전
어휘 체크

○ 규제

○ 촉진

○ 출처

○ 자산

○ 혼동

○ 무단

○ 동종/이종

01 한자를 통해 뜻 추측하기

다음 한자를 보고 각 어휘의 뜻을 추측하시오.

규제	촉진	출처	자산	혼동
規 법　　규 制 누르다 제	促 다그치다 촉 進 나아가다 진	出 나타나다 출 處 곳　　처	資 재물　　자 産 낳다, 　 생기다 산	混 섞다　　혼 同 한가지 동
①	②	③	④	⑤

㉠	㉡	㉢	㉣	㉤
다그쳐 빨리 나아가게 함.	규칙과 규정으로 일정한 한도를 정하거나 정한 한도를 넘지 못하게 막음.	구별하지 못하고 뒤섞어서 생각함.	사물이나 말이 생기거나 나온 근거.	개인이나 기업이 소유하고 있는 경제적 가치가 있는 재산.

02 문장을 통해 뜻 추측하기

다음 문장에 공통으로 쓰인 '무단'의 뜻을 추측하시오.

- 건널목을 무단으로 횡단하다 사고가 날 뻔했다.
- 결석 사유서를 제출하지 않으면 무단 결석으로 처리됩니다.
- 가수의 음원을 무단으로 복제하여 사용해서는 절대로 안 된다.

① 어떤 사실을 마땅하다고 받아들임.
② 때리거나 부수는 등 육체를 사용한 힘.
③ 사전에 허락이 없음. 또는 아무 이유가 없음.

03 자료를 통해 뜻 추측하기

다음을 보고 '동종'과 '이종'의 뜻이 바르게 묶인 것을 고르시오.

동종   이종

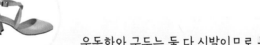

운동화와 구두는 둘 다 신발이므로 동종 상품이다.
그런데 운동화는 신발이고 배낭은 가방이므로 이종 상품이라고 한다.

	동종	이종
①	같은 종류	다른 종류
②	복잡한 종류	단순한 종류
③	움직이는 종류	멈춰 있는 종류

지금 배운 어휘들은 이어질 글에 **표시**해 두었어.
어휘의 뜻을 떠올리며 글을 읽어 보자.

06
브랜드를 보호하는 두 가지 이론

이 글을 읽기 전에 먼저
이 글의 독해 포인트 를 확인해 보자!

독해 포인트

1 브랜드 보호와 관련한 이론에는 무엇이 있는가?

2 희석화 현상의 두 가지 형태는 무엇인가?

#1문단 [1]브랜드는 상표라고도 하는데, 상품이나 서비스의 **출처**를 표시하여 특정 브랜드가 부착된 상품을 그 외의 상품과 구별하게 해 주는 역할을 한다. 요즘에는 브랜드가 소중한 **자산** 가치로 인정받고 있지만, 브랜드가 그 가치를 인정받기 시작한 것은 그리 오래된 일이 아니다. 브랜드의 가치가 중요해지면서 브랜드를 보호하기 위한 이론도 나타났는데, 이는 크게 **혼동** 이론과 [2]희석화 이론으로 ⓐ 수 있다.

#2문단 혼동 이론은 누군가가 기존 브랜드와 동일하거나 유사한 브랜드를 사용하여 출처에 대한 소비자의 혼동을 불러일으키는 경우에 기존 브랜드가 보호받아야 한다고 본다. 이 이론에 따르면 **동종** 상품의 '[3]짝퉁'의 경우 브랜드를 식별하기 어려우므로 기존 브랜드의 [4]상표권을 [5]침해했다고 본다. 그러나 **이종** 상품의 경우에는 기존 브랜드와 유사하더라도 소비자의 혼동을 일으키지 않는다면 상표권을 침해하지 않은 것으로 보아 그 행위를 **규제**할 수 없다.

#3문단 ⓑ '블루윙'이라는 브랜드의 운동화가 큰 인기를 끌어 유명해졌다고 하자. 이럴 경우 '블루윙' 브랜드는 상품의 인지도를 높여 판매를 **촉진**하고 동시에 브랜드의 이미지를 끌어올리려 한다. 그런데 누군가가 가방에 '블루윙'이라는 브랜드를 붙여 팔 경우, 이 '블루윙' 가방은 기존 브랜드인 '블루윙'의 상표권을 침해했다고 볼 수 있을까? ㉠혼동 이론에서는 '블루윙' 가방이 '블루윙' 브랜드의 상표권을 침해했다고 보지 않는다.

어휘 태그

1 브랜드(brand) 사업자가 자기 상품에 대해 경쟁 업체의 상품과 구별하기 위해 사용하는 문자나 도형 등의 기호.

2 희석화 어떤 문제에 다른 문제가 더하여져 서로 다투는 중심 내용이 흐려짐. 또는 그렇게 만듦.

3 짝퉁 가짜나 모조품(다른 물건을 본떠서 만든 물건)을 속되게 이르는 말.

4 상표권 특허청에 등록한 상표(브랜드)를 지정 상품에 독점적으로 사용할 수 있는 권리.

5 침해했다고 남의 권리, 재산 등에 성가시게 달라붙어 해를 끼쳤다고.

#4문단 　　ⓒ　　 희석화 이론에서는 '블루윙' 가방이 기존 브랜드의 상표권을 침해했다고 본다. 희석화 이론은 기존 브랜드와 동일하거나 유사한 브랜드를 사용하는 것이 출처에 대한 혼동을 불러일으키지 않더라도 상표권을 침해할 수 있다고 보기 때문이다. 위의 경우 '블루윙' 운동화를 구입한 소비자는 '블루윙'이라는 브랜드의 이미지를 떠올리며 '블루윙' 가방을 구매할 것이다. 그런데 '블루윙' 가방의 품질이 아주 ⁶조잡하고 　　ⓓ　　 경우, 소비자는 '블루윙'이라는 브랜드에 대해 실망하게 된다. 이처럼 '블루윙' 운동화에는 직접적인 피해가 없을지라도 '블루윙'이라는 브랜드는 이미지에 ⁷타격을 받게 되고, 브랜드의 가치도 심각하게 ⁸훼손될 수 있다. 나아가 '블루윙' 운동화의 매출이 떨어질 가능성도 ⁹배제할 수 없다.

#5문단 희석화 이론은 브랜드의 이미지나 인지도 등이 이종 상품에 흡수되어 브랜드의 식별력이 희석되는 현상에 　　ⓔ　　. 이러한 '희석화 현상'은 다음 두 가지 형태로 나타난다. 첫째, 브랜드 약화에 의한 희석은 이종 상품에 기존 브랜드를 **무단**으로 사용하여 해당 브랜드와 기존 상품의 연결성을 떨어뜨리는 것을 말한다. 이럴 경우 특정 브랜드가 그 브랜드가 부착된 상품을 연상하게 하는 힘인 식별력이 약해질 수밖에 없다. 둘째, 브랜드 손상에 의한 희석은 누군가가 유명 브랜드를 부적절하거나 ¹⁰혐오감을 느끼게 하는 방법으로 사용할 경우에 일어난다. 이럴 경우 유명 브랜드가 가지고 있던 긍정적인 이미지는 손상을 입게 된다.

#문단별 핵심 태그

1문단 브랜드를 보호하기 위한 이론인 #　　　　 이론과 희석화 이론

2문단 동종 상품에서 브랜드 혼동을 일으키는 경우를 상표권 침해로 보는 #　　　　 이론

3문단 혼동 이론에서 #　　　　 의 상표권을 침해하는 구체적인 사례

4문단 혼동을 일으키지 않더라도 상표권을 침해할 수 있다고 보는 #　　　　 이론

5문단 브랜드 약화에 의한 희석과 브랜드 #　　　　 에 의한 희석

어휘 태그

6 **조잡하고** 말이나 행동, 솜씨가 거칠고 잡스러워 품위가 없고.

7 **타격** 어떤 일에서 크게 기를 꺾음. 또는 그로 인한 손해나 손실.

8 **훼손될** 체면이나 명예가 손상될.

9 **배제할** 받아들이지 않고 물리쳐 제외할.

10 **혐오감** 병적으로 싫어하고 미워하는 감정.

지문의 난이도는 어땠어?

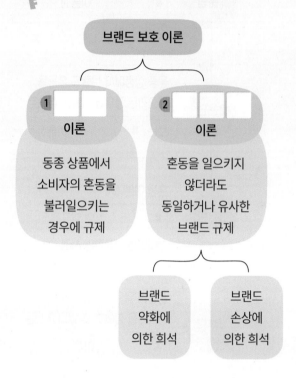

1 브랜드 보호와 관련한 두 이론

브랜드 보호 이론

1 [ ][ ] 이론
동종 상품에서 소비자의 혼동을 불러일으키는 경우에 규제

2 [ ][ ][ ] 이론
혼동을 일으키지 않더라도 동일하거나 유사한 브랜드 규제

브랜드 약화에 의한 희석

브랜드 손상에 의한 희석

2 희석화 현상의 두 가지 형태

브랜드 3 [ ][ ]에 의한 희석
기존의 브랜드를 무단으로 사용하여 해당 브랜드와 기존 상품의 연결성을 떨어뜨림.
→ 브랜드의 식별력이 약해짐.

브랜드 4 [ ][ ]에 의한 희석
유명 브랜드를 부적절하거나 혐오감을 느끼게 사용함.
→ 유명 브랜드가 가지고 있던 브랜드의 긍정적인 이미지가 손상됨.

---

01 다음에서 설명하고 있는 것을 이 글에서 찾아 쓰시오.

> • '상표'라고도 함.
> • 소중한 자산 가치로 인정받고 있음.

_____

독해 포인트 문제

02 '혼동 이론'과 '희석화 이론'에 대한 설명으로 적절하지 <u>않은</u> 것은?

① 둘 다 브랜드를 보호해야 한다는 입장이다.
② 혼동 이론은 브랜드의 식별 기능보다 브랜드의 이미지를 중시한다.
③ 혼동 이론은 동종 상품의 '짝퉁' 브랜드를 소비자가 식별하기 어렵다고 본다.
④ 희석화 이론은 브랜드 약화와 브랜드 손상에 의한 희석 두 가지를 상표권 침해로 본다.
⑤ 희석화 이론은 기존 브랜드가 이종 상품에 사용된 경우에도 상표권을 침해한 것으로 본다.

03 ㉠의 이유로 가장 적절한 것은?

① '블루윙' 가방이 '블루윙' 운동화의 인지도를 높여 주기 때문이다.
② '블루윙' 가방이 '블루윙' 운동화의 매출에 영향을 주기 때문이다.
③ '블루윙' 운동화와 '블루윙' 가방은 브랜드 보호 대상이 아니기 때문이다.
④ '블루윙' 가방이 '블루윙' 운동화의 브랜드 이미지를 더욱 높이는 데 도움이 되기 때문이다.
⑤ '블루윙' 운동화와 '블루윙' 가방은 이종 상품이어서 혼동을 일으키지 않는다고 보기 때문이다.

04 '브랜드 약화에 의한 희석'의 사례로 볼 수 <u>없는</u> 것은?

① 유명한 의류 브랜드인 '옷이날개'를 분식집 메뉴에 사용한 경우

② 유명한 문제집 브랜드 '오투'를 공기 청정기 브랜드로 사용한 경우

③ 유명한 운동화 브랜드인 '하니'를 치킨 체인점 브랜드로 사용한 경우

④ 유명한 화장품 회사의 브랜드인 '럭셔리'를 다른 화장품 회사가 사용한 경우

⑤ 유명한 게임 회사인 '레트로'와 유사한 의류 쇼핑 사이트 'www.레트로.com'을 만든 경우

05 '희석화 이론'을 바탕으로 <u>보기</u>를 이해할 때, 그 내용으로 가장 적절한 것은?

> 보기
>
> A 은행의 인기 상품 '불리다' 적금이 최근 유명세를 타면서, 은행 근처에서 오래전부터 '배불리'라는 식당을 운영하던 B 기업이 신규 브랜드 '불리다'를 만들었다. 그런데 '불리다' 식당의 위생 상태가 도마에 오르면서 '불리다'는 물론 '배불리'와 '불리다' 적금도 큰 타격을 입었다. 이에 A 은행은 식당 '불리다' 때문에 자신들의 적금 상품 브랜드인 '불리다'의 이미지가 손상되었다며 B 기업에 소송을 걸었다.

① B 기업의 '불리다'는 A 은행의 '불리다' 브랜드의 식별력을 강화하였다.

② A 은행은 무단으로 B 기업의 '배불리' 브랜드를 사용했으므로 보호받기 어렵다.

③ A 은행의 '불리다'와 B 기업의 '불리다'는 동종 상품이 아니므로 아무런 연관이 없다.

④ B 기업의 '배불리'와 '불리다'는 다른 브랜드이므로 '배불리' 브랜드에는 피해가 없다.

⑤ A 은행의 '불리다'는 브랜드 손상에 의한 희석으로 볼 수 있으므로 상표권 침해를 당한 것이다.

06 ⓐ~ⓔ에 들어갈 어휘로 적절하지 <u>않은</u> 것은?

① ⓐ – 나눌　　② ⓑ – 예를 들어

③ ⓒ – 반면　　④ ⓓ – 뛰어날

⑤ ⓔ – 주목한다

완벽 마스터 문제

07 이 글을 읽고 난 반응으로 적절하지 <u>않은</u> 것은?

① 상표권은 브랜드의 자산 가치를 보호하기 위한 것이겠군.

> 1문단에서 브랜드가 소중한 자산 가치로 인정받으면서 브랜드 보호 이론이 나타났다고 하였다.

② 혼동 이론은 희석화 이론에 비해 상표권을 적극적으로 보호하겠군.

> 혼동 이론은 동종 상품의 경우만, [❶   ] 이론은 이종 상품의 경우에도 상표권 침해를 인정한다.

③ 브랜드는 해당 브랜드가 부착된 상품과 그렇지 않은 상품을 식별하는 역할을 하겠군.

> 1문단에서 [❷   ]는 특정 상품이나 서비스의 출처를 표시한다고 하였다.

④ 혼동 이론에서는 브랜드가 소비자에게 혼동을 일으키는 경우에 상표권 보호가 가능하겠군.

> 2문단에서 혼동 이론은 동종 상품 내에서 브랜드의 출처에 대해 소비자가 혼동을 일으킬 때 상표권이 침해되었다고 본다고 하였다.

⑤ 같은 사례라 해도 어떤 이론을 적용하느냐에 따라 상표권 침해 여부가 달라질 수 있겠군.

> 3문단에서 제시한 사례에 대해 [❸   ] 이론과 희석화 이론은 서로 다른 입장을 보이고 있다.

7문제 중에

_____ 문제 맞혔어!

07

OLED 디스플레이 기술

이번에 읽을 글은 OLED 디스플레이의 구조와 작동 원리 및 특징을 설명하고 있어.
글을 읽기 전에 어휘를 미리 알아 두면 글을 이해하는 데 도움이 될 거야.

읽기 전 어휘 체크

- 평판
- 발광
- 야경
- 통과
- 발휘
- 윤곽
- 시야각

01 한자를 통해 뜻 추측하기

다음 한자를 보고 각 어휘의 뜻을 추측하시오.

평판	발광	야경	통과	발휘
平 평평하다 평 板 널빤지 판	發 밝히다 발 光 빛 광	夜 밤 야 景 경치 경	通 통하다 통 過 지나다 과	發 드러내다 발 揮 나타내다 휘
①	②	③	④	⑤

㉠	㉡	㉢	㉣	㉤
빛을 냄.	평평한 판.	밤에 보는 산, 들, 강, 바다 같은 자연이나 지역의 모습.	재능이나 능력을 떨치어 나타냄.	어떤 곳이나 때를 거쳐서 지나감.

02 문장을 통해 뜻 추측하기

다음 문장에 공통으로 쓰인 '윤곽'의 뜻을 추측하시오.

- 우리 아빠의 얼굴은 윤곽이 뚜렷하다.
- 지점토로 만들고 있는 꽃병의 윤곽이 드디어 드러났다.
- 날씨가 좋아서 멀리서도 한라산의 윤곽이 뚜렷하게 보인다.

① 광택에 윤기가 있음.
② 사물의 테두리나 대강의 모습.
③ 일이나 사건의 대체적인 줄거리.

03 자료를 통해 뜻 추측하기

다음을 보고 '시야각'의 뜻을 추측하시오.

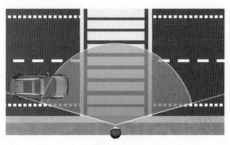

▲ 어른의 시야각

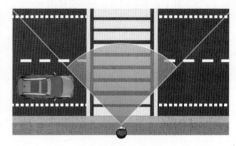

▲ 어린이의 시야각

어린이는 어른에 비해 시야각이 좁아서 교통사고가 날 위험이 더 크다.

① 재빠르고 날쌘 성질.
② 눈으로 볼 수 있는 각도.
③ 새로운 것을 생각해 내는 능력.

지금 배운 어휘들은 이어질 글에 표시해 두었어.
어휘의 뜻을 떠올리며 글을 읽어 보자.

07
OLED 디스플레이 기술

이 글을 읽기 전에 먼저
이 글의 독해 포인트 를 확인해 보자!

독해 포인트

1 LCD와 OLED 디스플레이의 작동 원리는 무엇인가?

2 OLED 디스플레이의 특징은 무엇인가?

#1문단 ㉠LCD(엘시디. Liquid Crystal Display)는 텔레비전이나 컴퓨터의 모니터에 쓰이는 **평판** 디스플레이로, 두께가 얇고 무게가 가벼운 영상 표시 장치를 가리킨다. 그런데 LCD는 스스로 빛을 내는 능력이 없기 때문에, 수많은 [1]패널을 앞쪽에 규칙적으로 배열하고, 가장 뒤에는 빛을 내는 [2]백라이트를 반드시 [3]장착해야 한다. 백라이트에서 빛을 공급하면 그 빛이 수많은 패널을 **통과**하면서 각각 다르게 굴절하여 전체 화면을 구성하는 것이다.

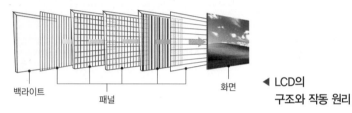

백라이트　　　　패널　　　　　　화면

◀ LCD의 구조와 작동 원리

#2문단 요즘은 기술의 발달로 LCD를 ⓐ대체하여 ㉡OLED(오엘이디. Organic Light Emitting Diode) 디스플레이가 광범위하게 사용되고 있다. OLED는 유기 **발광** [4]다이오드란 말로, 전기에 자극을 받아 빛을 내는 물질을 말한다. 전류가 흐르면 각각의 유기 물질이 전류에 반응하여 스스로 빛을 내 전체 화면을 구성한다. 백라이트 없이 전류의 흐름을 통하여 전기 에너지가 빛에너지로 변환되면서 그 빛이 우리의 눈으로 들어오는 것이다. OLED 디스플레이는 백라이트가 필요 없어 LCD보다 두께가 더 얇고 가벼우며, 특수 유리나 플라스틱을 이용하여 만들면 휘거나 구부릴 수도 있다.

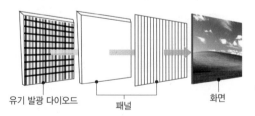

유기 발광 다이오드　　　패널　　　　　화면

◀ OLED 디스플레이의 구조와 작동 원리

(어휘 태그)

1 패널(panel) 표시 형식이나 표시 내용, 입력의 조건들이 정해지는 화면.
2 백라이트(backlight) 화면의 뒤에서 빛을 방출하는 기능을 하는 광원 장치.
3 장착해야 의복, 기구, 장비 등에 기계, 도구를 붙여야.
4 다이오드(diode) 전류가 한쪽으로만 흐를 수 있게 하는 전자 부품.

#3문단 이처럼 LCD를 보완하여 개발된 OLED 디스플레이는 다음과 같은 특징이 있다. 먼저 **시야각**이 180도에 이르는 OLED 디스플레이는 상하좌우 어느 면에서 화면을 보아도 ⁵왜곡이 생기지 않는다. 반면 LCD는 시야각의 제한으로 이미지의 **윤곽**이나 색상에 왜곡이 생기기도 한다. OLED 디스플레이 역시 제품에 ⓑ적용되는 보호용 유리의 ⁶반사나 두께 때문에 시야각이 약간 제한될 수는 있지만, LCD에 비하면 화면 왜곡이 거의 생기지 않는다.

#4문단 또한 OLED 디스플레이는 높은 수준의 명암비를 구현한다. 명암비란 화면상에서 가장 밝은 부분과 어두운 부분이 얼마나 잘 구별되는지를 나타내는 기준이다. 명암비가 높을수록 어두운 배경이나 **야경**에 묻힌 회색빛의 사물이나 크기가 작은 사물이 제대로 잘 보인다. LCD는 백라이트의 빛에 의존하므로 밝기를 세밀하게 조정하기 어려우나, OLED 디스플레이는 발광을 멈추는 것만으로도 검은색을 명확하게 표현할 수 있어 높은 수준의 명암비를 ⓒ**발휘**할 수 있다.

#5문단 그리고 OLED 디스플레이는 화면의 응답 속도가 매우 빨라서 화면에 ⁷잔상이 생기지 않는다. LCD는 액정의 배열을 ⓓ변형하여 화면의 변화를 표현하다 보니 움직임이 빠른 화면일 때 그 속도를 ⓔ쫓아가지 못하는 경우가 발생한다. 화면에 잔상이 남는 이유가 바로 이 때문이다. 하지만 OLED 디스플레이의 경우 전류가 흐르자마자 유기 물질이 반응하기 때문에 응답 속도가 매우 빠르다. 그렇기 때문에 OLED 디스플레이에서 사람의 눈으로 잔상을 느끼는 것은 거의 불가능하다.

#문단별 핵심 태그

1문단 LCD의 개념 및 작동 원리 — 백라이트에서 #____을 공급하여 화면을 구성함

2문단 OLED의 개념 및 작동 원리 — 스스로 #____을 내는 유기 물질이 화면을 구성함

3문단 OLED 디스플레이의 특징 ① — #____이 넓어 화면 왜곡이 생기지 않음

4문단 OLED 디스플레이의 특징 ② — 높은 수준의 #____를 구현함

5문단 OLED 디스플레이의 특징 ③ — 화면의 응답 속도가 매우 빨라 #____이 생기지 않음

어휘 태그

5 **왜곡** 사실과 다르게 해석하거나 그릇되게 함.
6 **반사** 일정한 방향으로 나아가던 움직임이 다른 물체의 표면에 부딪쳐서 나아가던 방향을 반대로 바꾸는 현상.
7 **잔상** 외부 자극이 사라진 뒤에도 감각 경험이 지속되어 나타나는 상. 촛불을 한참 바라본 뒤에 눈을 감아도 그 촛불의 모습이 나타나는 현상 같은 것.

확인하기

1 LCD와 OLED 디스플레이의 작동 원리

LCD	OLED 디스플레이
1 ☐☐☐☐ 에서 빛을 공급함.	전류가 흐름.
↓	↓
빛이 수많은 패널을 통과함.	각각의 유기 물질이 전류에 반응함.
↓	↓
빛이 각각 다르게 굴절하여 전체 화면을 구성함.	유기 물질이 스스로 빛을 내 전체 화면을 구성함.

2 OLED 디스플레이의 특징

시야각
180도에 이르는 시야각으로 상하 좌우 어느 면에서 화면을 보아도 **2** ☐☐ 이 생기지 않음.

명암비
높은 수준의 **3** ☐☐☐ 를 구현하여 밝은 부분과 어두운 부분이 잘 구분됨.

응답 속도
화면의 응답 속도가 매우 빨라서 화면에 **4** ☐☐ 이 생기지 않음.

01 이 글을 통해 알 수 있는 내용이 <u>아닌</u> 것은?

① LCD의 구조와 작동 원리
② OLED 디스플레이의 특징
③ OLED 디스플레이의 종류
④ OLED 디스플레이의 작동 원리
⑤ LCD와 OLED 디스플레이의 장점

02 보기 에 표시된 부분이 무엇인지 빈칸에 알맞은 말을 쓰시오.

보기

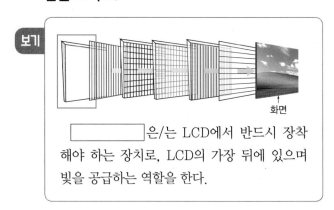

화면

☐☐☐☐☐ 은/는 LCD에서 반드시 장착 해야 하는 장치로, LCD의 가장 뒤에 있으며 빛을 공급하는 역할을 한다.

독해 포인트 문제

03 'OLED 디스플레이'에 대한 설명으로 적절하지 <u>않은</u> 것은?

① 스스로 빛을 내는 물질이 사용된다.
② 어두운 배경에 있는 사물도 구별하기 쉽다.
③ 사람의 눈으로 화면의 잔상을 발견하기 어렵다.
④ 전류가 흐르면 빛에너지가 전기 에너지로 변환된다.
⑤ 상하좌우 어느 면에서 화면을 보아도 왜곡이 거의 생기지 않는다.

독해 포인트 문제

04 ㉠과 ㉡을 비교한 내용으로 적절하지 <u>않은</u> 것은?

① ㉠이 ㉡보다 두껍다.
② ㉠이 ㉡보다 화질이 좋다.
③ ㉠이 ㉡보다 시야각이 좁다.
④ ㉡이 ㉠보다 명암비가 높다.
⑤ ㉡이 ㉠보다 화면의 응답 속도가 빠르다.

06 ⓐ~ⓔ를 바꾸어 쓰기에 적절하지 <u>않은</u> 것은?

① ⓐ 대체하여 → 대신하여
② ⓑ 적용되는 → 쓰이는
③ ⓒ 발휘할 → 작용할
④ ⓓ 변형하여 → 바꾸어
⑤ ⓔ 쫓아가지 → 따라가지

05 보기의 A와 B를 비교한 내용으로 적절한 것만 골라 바르게 묶은 것은?

보기

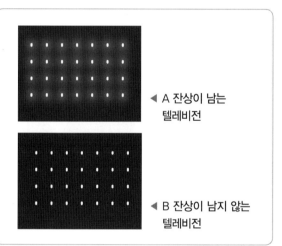

◀ A 잔상이 남는 텔레비전

◀ B 잔상이 남지 않는 텔레비전

ㄱ. 움직이는 빠른 화면을 볼 때에는 A로 보는 것이 더 선명해.
ㄴ. 어두운 배경에 묻힌 회색빛의 사물은 A로 보아야 또렷하게 볼 수 있어.
ㄷ. A처럼 잔상이 남는 이유는 액정의 배열이 화면의 속도를 쫓아가지 못해서야.
ㄹ. B에서는 빛을 내는 것을 멈추는 것만으로도 검은색을 명확하게 표현할 수 있어.

① ㄱ, ㄴ   ② ㄱ, ㄹ
③ ㄴ, ㄷ   ④ ㄴ, ㄹ
⑤ ㄷ, ㄹ

완벽 마스터 문제

07 이 글을 읽고 난 반응으로 적절하지 <u>않은</u> 것은?

① 곡선으로 된 디스플레이도 만들 수 있겠군.

2문단에서 특수 유리나 플라스틱으로 OLED 디스플레이를 만들면 휘거나 구부릴 수 있다고 하였다.

② 시야각이 제한되면 이미지에 왜곡이 생기겠군.

3문단에서 LCD는 [❶   ]에 제한이 있어 이미지의 윤곽이나 색상에 왜곡이 생긴다고 하였다.

③ 명암비가 높을수록 화면이 또렷하게 보이겠군.

4문단에서 [❷   ]가 높을수록 어두운 배경에 묻힌 사물도 제대로 잘 보인다고 하였다.

④ 디스플레이는 더 얇고 가벼운 쪽으로 발전해 온 것이겠군.

1문단과 2문단을 통해 LCD에서 OLED 디스플레이로 발전해 왔음을 알 수 있는데, OLED 디스플레이가 LCD보다 더 얇고 가볍다고 하였다.

⑤ 디스플레이에서 밝기를 꼼꼼하게 조정하려면 백라이트가 꼭 필요하겠군.

4문단에서 LCD는 [❸   ]의 빛에 의존하므로 밝기를 세밀하게 조정하기 어렵다고 하였다.

7문제 중에
_____ 문제 맞혔어!

08 가마솥부터 전기밥솥까지

이번에 읽을 글은 가마솥의 원리를 이용한 전기밥솥의 작동 원리를 설명하고 있어.
글을 읽기 전에 어휘를 미리 알아 두면 글을 이해하는 데 도움이 될 거야.

읽기 전 어휘 체크

- 최상
- 보온
- 형성
- 가열
- 자유자재
- 토대
- 취사

01 한자를 통해 뜻 추측하기

다음 한자를 보고 각 어휘의 뜻을 추측하시오.

최상	보온	형성	가열	자유자재
最 가장 최 上 위, 윗 상	保 보존하다 보 溫 온도 온	形 모양 형 成 이루다 성	加 더하다 가 熱 덥다 열	自 스스로 자 由 말미암다 유 自 스스로 자 在 있다 재
①	②	③	④	⑤

ㄱ	ㄴ	ㄷ	ㄹ	ㅁ
높이, 수준, 등급, 정도의 맨 위.	어떤 물질에 열을 가함.	거침없이 자기 마음대로 할 수 있음.	주위의 온도에 관계없이 일정한 온도를 유지함.	어떤 사물의 생긴 모양이나 상태를 이룸.

02 문장을 통해 뜻 추측하기

다음 문장에 공통으로 쓰인 '토대'의 뜻을 추측하시오.

- 그는 경제 발전의 **토대**를 마련한 인물이다.
- 현대는 과학과 기술을 **토대**로 엄청난 발전을 이루었다.
- 과거의 경험을 **토대**로 이번 학예회는 순조롭게 진행되었다.

① 어떤 것의 바닥 또는 아래가 되는 부분.
② 어떤 일의 가장 중요한 원인, 기회나 조건.
③ 어떤 사물이나 일의 밑바탕이 되는 기초와 밑천을 비유적으로 이르는 말.

03 자료를 통해 뜻 추측하기

다음을 보고 '취사'의 뜻을 추측하시오.

취사가 완료되어
밥솥에서 밥을 푸었다.

① 자기 것으로 만들어 가짐.
② 하고 싶은 마음이 생기는 방향.
③ 아침, 점심, 저녁과 같이 날마다 일정한 시간에 먹을 음식을 만드는 일.

지금 배운 어휘들은 이어질 글에 **표시**해 두었어.
어휘의 뜻을 떠올리며 글을 읽어 보자.

08
가마솥부터 전기밥솥까지

이 글을 읽기 전에 먼저
이 글의 독해 포인트 를 확인해 보자!

독해 포인트

1 가마솥은 어떤 원리로 최상의 밥맛을 내는가?

2 전기밥솥은 종류별로 밥을 짓는 방식이 어떻게 다른가?

#1문단 우리 선조들은 무쇠로 만든 가마솥으로 **최상**의 밥맛을 냈다. 가마솥 전체 무게의 삼분의 일이나 되는 솥뚜껑은 솥 안에 **형성**된 뜨거운 [1]수증기가 쉽게 빠져나가지 않게 막아 밥이 잘되도록 했다. 그리고 솥 바닥은 둥근 모양으로 만들었는데 불에 직접적으로 닿는 아랫부분은 두껍게 만들고, 옆면은 가장자리로 갈수록 얇게 만들었다. 이러한 구조는 사방에서 열이 입체적으로 전달되게 하여 쌀이 골고루 잘 익게 한다. 전기밥솥은 이러한 가마솥의 원리를 바탕으로 탄생했다.

#2문단 초기에 개발된 열판식 전기밥솥은 내솥 밑바닥에 있는 열판을 **가열**하여 그 열로 내솥의 밥물을 끓였다. 내솥의 온도가 200 ℃ 가까이에 이르면 뜸 들이기가 되고 자동으로 **취사** 스위치가 꺼지는데, 이때 밥솥의 **보온** 스위치가 켜져 밥이 식지 않는다. 그런데 이 방식은 한 번에 많은 양의 밥을 지을 경우 열판과 가까운 곳의 쌀은 잘 익지만 열판과 먼 곳의 쌀은 골고루 익지 않는다는 문제점이 있었다.

#3문단 이런 문제점을 해결하기 위해 등장한 것이 바로 IH(아이에이치) 전기밥솥이다. IH 전기밥솥의 가장 큰 특징은 높은 온도로 내솥 전체를 입체적으로 달구어 밥을 짓는다는 점이다. 내솥을 둘러싸고 있는 외솥 전체에 구리 [2]코일을 감아 [3]전류를 흐르게 하면 내솥에도 전류가 흐르게 된다. 이때 내솥은 [4]스테인리스강과 같은 소재로 만들어 전류가 흐르는 것을 방해하도록 한다. 그러면 전기 에너지가 열에너지로 바뀌면서 내솥 전체에 열이 전달되기 때문에 쌀이 골고루 잘 익는다.

어휘 태그

1 **수증기** 기체 상태로 되어 있는 물.
2 **코일(coil)** 나사 모양이나 원통 꼴로 여러 번 감아 전류가 통하게 한 줄.
3 **전류** 물체가 띠고 있는 정전기의 양을 뜻하는 전하가 연속적으로 이동하는 현상.
4 **스테인리스(stainless)강** 녹이 슬지 않고 약품에도 잘 썩지 않는 강철.

#4문단 IH 전기밥솥의 작동 원리를 **토대**로 개발된 IH 전기 압력 밥솥은 쌀의 본래 모습을 유지하면서 영양분의 파괴도 최소한으로 줄여 [5]차지고 쫀득쫀득한 밥을 짓는다. 그렇다면 IH 전기 압력 밥솥의 원리는 무엇일까? 주전자로 물을 끓일 때를 생각해 보자. 주전자에 물을 끓이면 뚜껑이 들썩이는데, 이는 주전자 내부에 수증기가 많아져 [6]압력이 높아졌기 때문이다. IH 전기 압력 밥솥은 무거운 솥뚜껑처럼 뚜껑을 움직이지 않게 함으로써 내부의 압력을 증가시키는 원리를 이용한다. 압력이 높아지면 [7]끓는점도 높아지기 때문에 쌀을 골고루 빨리 익혀 취사 시간이 줄어든다. IH 전기 압력 밥솥에는 압력 조절 장치가 있어 취사가 완료되면 자동으로 수증기를 ㉠외부로 내보내 밥솥 안의 압력을 낮춘다.

#5문단 최근에는 내솥 옆면에 가하는 [8]화력을 두 배 이상 높여 쌀의 단맛이 빠져나가지 않도록 하는 기술도 개발되었다. 또 내솥이 열을 더 빨리 전달할 수 있도록 내솥의 바깥 부분에 구리나 금을 얇게 입히는 기술도 개발되었다. 스테인리스강 소재보다 구리나 금이 열을 더욱 빨리 전달하기 때문이다. 이와 같은 기술의 발전 덕분에 전기밥솥은 가마솥 밥의 밥맛까지도 **자유자재**로 [9]구현할 수 있게 되었다.

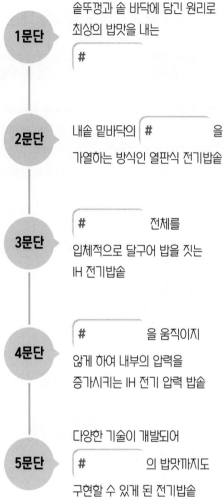

#문단별 핵심 태그

1문단 ▸ 솥뚜껑과 솥 바닥에 담긴 원리로 최상의 밥맛을 내는
_____

2문단 ▸ 내솥 밑바닥의 # _____ 을 가열하는 방식인 열판식 전기밥솥

3문단 ▸ # _____ 전체를 입체적으로 달구어 밥을 짓는 IH 전기밥솥

4문단 ▸ # _____ 을 움직이지 않게 하여 내부의 압력을 증가시키는 IH 전기 압력 밥솥

5문단 ▸ 다양한 기술이 개발되어 # _____ 의 밥맛까지도 구현할 수 있게 된 전기밥솥

어휘 태그

5 **차지고** 반죽이나 밥, 떡의 끈끈한 기운이 많고.
6 **압력** 일정한 단위로 나타낸 면적(공간을 차지하는 넓이의 크기)에 수직으로 누르는 힘을 말한다. 같은 크기의 힘을 주더라도 면적이 좁으면 압력이 커진다.
7 **끓는점** 액체가 끓기 시작하는 온도.
8 **화력** 불이 탈 때에 내는 열의 힘.
9 **구현할** 어떤 내용을 구체적인 사실로 나타나게 할.

08 가마솥부터 전기밥솥까지

지문의 난이도는 어땠어? 상 중 하

1 가마솥이 최상의 밥맛을 내는 원리

솥뚜껑	솥 바닥
솥뚜껑의 무게를 솥 전체 무게의 삼분의 일이 되도록 무겁게 만듦.	• 불에 직접 닿는 아랫부분은 두껍게 만듦. • 옆면은 가장자리로 갈수록 얇게 만듦.

1 ☐☐☐ 가 빠져나가는 것을 막고, 열이 입체적으로 전달되게 하여 쌀이 골고루 잘 익음.

2 전기밥솥의 종류별 밥을 짓는 방식

열판식 전기밥솥

내솥 밑바닥에 있는 **2** ☐☐ 을 가열하여 그 열로 내솥의 밥물을 끓임.

↓

IH 전기밥솥

3 ☐☐ 전체에 구리 코일을 감아 높은 온도로 내솥 전체를 입체적으로 달굼.

↓

IH 전기 압력 밥솥

뚜껑을 움직이지 않게 하여 내부의 **4** ☐☐ 을 증가시켜 쌀을 골고루 빨리 익힘.

01 '가마솥'에 대한 설명으로 적절하지 <u>않은</u> 것은?

① 무거운 솥뚜껑으로 솥 안의 압력을 높인다.
② 솥 바닥의 모양은 둥근 모양으로 되어 있다.
③ 솥 바닥의 아랫부분과 옆면은 두께가 다르다.
④ 솥 전체에 열이 골고루 전달되어 쌀이 골고루 익는다.
⑤ 솥뚜껑이 들썩이면서 수증기를 쉽게 밖으로 내보낸다.

02 이 글로 보아 '전기밥솥'이 어떤 순서로 발전했는지 빈칸에 알맞은 말을 차례대로 쓰시오.

☐☐☐☐☐☐☐☐☐

↓

IH 전기밥솥

↓

☐☐☐☐☐☐☐☐☐

03 '열판식 전기밥솥'에 대한 설명으로 적절하지 <u>않은</u> 것은?

① 초기에 개발된 전기밥솥의 형태이다.
② 문제점을 보완하기 위하여 IH 전기밥솥이 등장한다.
③ 내솥 밑바닥에 있는 열판을 가열하여 밥물을 끓인다.
④ 쌀을 골고루 익혀 주므로 한 번에 많은 양의 밥을 지을 때 적합하다.
⑤ 내솥의 온도가 200 ℃에 이르면 취사 스위치가 꺼지고 보온 상태로 바뀐다.

04 이 글을 읽고 난 반응으로 적절하지 않은 것은?

① 솥에 가해지는 열과 압력은 밥맛에 영향을 주겠군.

② 전기밥솥은 자동으로 취사와 보온이 되니 편리하겠군.

③ 전기밥솥으로 가마솥 밥의 밥맛을 내는 것은 불가능하겠군.

④ 전기밥솥에 적용되는 기술이 발전함에 따라 밥맛도 좋아지겠군.

⑤ 전기밥솥이 밥을 짓는 원리에는 가마솥의 원리가 적용되었겠군.

05 'IH 전기 압력 밥솥'으로 밥을 지을 때의 특징으로 볼 수 없는 것은?

① 쌀이 골고루 빨리 익는다.

② 밥이 차지고 쫀득쫀득하다.

③ 쌀의 영양분이 덜 파괴된다.

④ 쌀의 본래 모습이 유지된다.

⑤ 뜸 들이기가 제일 오래 걸린다.

06 문맥상 ⊙과 바꾸어 쓰기에 가장 적절한 것은?

① 배출해

② 노출해

③ 표출해

④ 탈출해

⑤ 수출해

완벽 마스터 문제

07 이 글을 바탕으로 'IH 전기 압력 밥솥'의 작동 원리를 이해한 내용으로 적절하지 않은 것은?

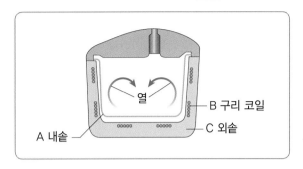

① 압력 조절 장치가 있어서 A 내부의 압력이 자동으로 조절된다.

> 4문단에서 IH 전기 압력 밥솥은 취사가 끝나면 자동으로 수증기를 외부로 내보내 압력을 낮춘다고 하였다.

② A 내부의 압력이 높아 끓는점도 높아져 쌀이 빨리 골고루 익는다.

> 4문단에서 IH 전기 압력 밥솥은 뚜껑을 움직이지 않게 하여 내부의 [❶   ]을 높인다고 하였다.

③ A의 겉에 금이나 구리를 입히면 스테인리스강으로 되어 있는 경우보다 열이 빨리 전달된다.

> 5문단에서 내솥에 구리나 [❷   ]을 입혀 기존보다 열을 빨리 전달하는 기술이 개발되었다고 하였다.

④ A에 전류를 흐르게 하면 B에 열이 전달된다.

> 3문단에서 구리 코일에 전류를 흐르게 하면 이 전기 에너지가 열에너지로 바뀌어 내솥에 열이 전달된다고 하였다.

⑤ C에 B를 감음으로써 A 전체를 입체적으로 달굴 수 있다.

> 3문단에서 내솥을 둘러싸고 있는 외솥에 구리 코일을 감아 전류를 흐르게 하면 내솥 전체에 [❸   ]이 전달되어 쌀이 골고루 익는다고 하였다.

7문제 중에

_____ 문제 맞혔어!

09

대용량 이메일을 보내려면

이번에 읽을 글은 네트워크상에서 메시지를 전송하는 방식을 설명하고 있어.
글을 읽기 전에 어휘를 미리 알아 두면 글을 이해하는 데 도움이 될 거야.

읽기 전 어휘 체크

- 용량
- 소포
- 전송
- 재결합
- 부착
- 수신자
- 방대하다

01 한자를 통해 뜻 추측하기

다음 한자를 보고 각 어휘의 뜻을 추측하시오.

용량	소포	전송	재결합	부착
容 담다 용 量 재다 량	小 작다 소 包 싸다 포	電 번개 전 送 보내다 송	再 다시 재 結 맺다 결 合 합하다 합	附 붙다 부 着 붙다 착
①	②	③	④	⑤

ㄱ	ㄴ	ㄷ	ㄹ	ㅁ
글이나 사진을 전류나 전파를 이용하여 먼 곳에 보냄.	저장할 수 있는 정보의 양.	작은 물건을 포장하여 보내는 우편.	떨어지지 않게 붙음. 또는 그렇게 붙이거나 닿.	한 번 헤어지거나 떨어졌던 것이 다시 하나가 됨.

02 자료를 통해 뜻 추측하기

다음을 보고 '발신자'와 '수신자'의 관계와 유사한 관계의 쌍을 찾으시오.

발신자	수신자
소식이나 우편 또는 전기 통신을 보내는 사람.	소식이나 우편 또는 전기 통신을 받는 사람.

① 송신자 − 송신인　　② 당사자 − 제삼자　　③ 노동자 − 근로자

03 자료를 통해 뜻 추측하기

다음을 보고 '방대하다'의 뜻을 추측하시오.

그 도서관의 규모는 정말 방대해서 책이 엄청 많았다.

① 공간이 좁고 작다.
② 일이나 조건 따위에 꼭 알맞다.
③ 크기가 매우 크거나 양이 매우 많다.

지금 배운 어휘들은 이어질 글에 표시해 두었어.
어휘의 뜻을 떠올리며 글을 읽어 보자.

09
대용량 이메일을 보내려면

이 글을 읽기 전에 먼저
이 글의 독해 포인트 를 확인해 보자!

독해 포인트

1 패킷 교환 방식은 어떤 과정으로 이루어지는가?

2 패킷 교환 방식의 장점은 무엇인가?

#1문단 스마트폰으로 찍은 사진을 인화하여 우편으로 보낼 때와 스마트폰에서 직접 이메일(e-mail)로 보낼 때를 생각해 보자. 일상에서 우편물을 보낼 때에는 사진을 통째로 보낸다. 그러나 [1]네트워크상에서 이메일로 보낼 때에는 사진의 내용이 조각조각으로 나뉘어 **전송**된다. 물론 이렇게 전송된 조각은 **재결합**되어 **수신자**에게 가게 되므로, 네트워크상의 수신자는 하나의 사진 파일을 받게 된다. 이때 네트워크상에서 정보를 나누어 전달하는 방식을 '패킷 교환 방식'이라고 한다.

#2문단 '패킷'이란 네트워크상에서 정보를 쉽게 전송하기 위해 데이터를 작은 단위로 ㉠나누어 놓은 것을 말한다. 패킷은 **소포** 우편으로 보내는 물품을 가리키는 '패키지'라는 말과, 여러 개의 데이터를 저장하는 하나의 주소를 가리키는 '버킷'이라는 말이 합쳐진 것이다. 이러한 패킷은 크게 [2]헤더부와 데이터 영역으로 구분된다. 헤더부에는 메시지가 최종적으로 전달될 주소와 패킷의 [3]일련번호 등의 정보가 들어 있고, 데이터 영역에는 메시지 자체의 내용이 들어 있는데 여기에는 에러 체크 데이터도 포함된다.

#3문단 용량이 큰 사진을 이메일로 보낼 때 패킷 교환이 어떻게 이루어지는지 살펴보자. 이 사진 메시지는 여러 개의 패킷으로 나뉘고 각 패킷에는 헤더가 **부착**된다. 각각의 패킷은 버퍼와 여러 개의 [4]노드로 이루어진 '패킷 교환망'을 지나게 된다. '버퍼'는 패킷이 한꺼번에 많이 나가 경로가 막힐 것을 대비해 패킷을 잠시 저장해 두는 기억 장치이다. 패킷이 원활하게 전송될 수 있도록 먼저 도착한 패킷부터 순서대로 보내고 나머지는 잠시 저장해 둔다.

어휘 태그

1 **네트워크(network)** 두 대 이상의 컴퓨터를 케이블 등으로 연결해 서로 데이터를 교환할 수 있도록 만든 시스템. 학교나 회사에서는 이렇게 네트워크를 만들고 인터넷에 연결한다.
2 **헤더(header)** 데이터 앞부분에 파일에 대한 정보를 실어 놓은 부분. 주로 데이터의 형식에 대한 정보, 시간 데이터, 주소 데이터로 구성됨.
3 **일련번호** 제품 순서에 따라 부여되어 있는 고유의 제품 식별 번호.
4 **노드(node)** 네트워크에서 연결 지점을 말함. 데이터 전송의 종점이나 데이터 재분배점.

#4문단 이후 각각의 패킷들은 '노드'라고 불리는 여러 개의 통신 지점을 지나간다. 노드 하나에도 여러 개의 경로가 연결되어 있어서 패킷들은 서로 흩어져 여러 개의 노드와 경로를 통해 이동하게 된다. 패킷 교환망을 지나온 각 패킷들은 수신지에 일련번호의 순서와 상관없이 개별적으로 도착한다. 모든 패킷이 수신지에 도착하면 패킷들은 일련번호의 순서에 맞게 원래의 메시지로 재결합된다. 만약 수신지에서 일련번호 순서대로 재결합되지 못하거나 모든 패킷이 전송되지 못했을 경우 '발신 후 수신 ⁵불능' 혹은 '수신 후 에러 메시지'가 나올 수도 있다.

#5문단 패킷 교환 방식은 기존의 정보 전송 방식에 비해 **방대한** 양의 데이터를 빠르게 전송할 수 있다. 작은 단위로 나눠진 패킷들이 여러 개의 노드를 통해 서로 다른 경로로 전송되었다가 나중에 합쳐지는 방식이기 때문이다. 패킷들이 여러 경로로 이동되므로 하나의 경로에 ⁶과부하가 발생하더라도 다른 경로로 전송하면 된다. 보내야 할 데이터가 큰 경우에도 작은 단위의 패킷으로 나뉘어 전송되므로 데이터를 원활하게 전송할 수 있다. 또한 상대방의 주소를 갖고 있기에 신뢰도가 높으며, 스마트폰과 컴퓨터처럼 서로 다른 ⁷기종을 사용하는 사용자들끼리도 데이터를 주고받을 수 있다.

#문단별 핵심 태그

1문단 ＃ ＿＿＿＿＿ 상에서 정보를 나누어 전달하는 방식인 '패킷 교환 방식' 소개

2문단 '패킷'의 개념 및 패킷을 구성하는 ＃ ＿＿＿ 와 데이터 영역에 들어 있는 정보

3문단 패킷 교환 과정 ① － 패킷이 ＃ ＿＿＿ 와 노드로 이루어진 패킷 교환망을 지남

4문단 패킷 교환 과정 ② － ＃ ＿＿＿ 에 도착한 패킷은 일련번호대로 재결합됨

5문단 ＃ ＿＿＿ 교환 방식이 기존의 정보 전송 방식에 비해 지닌 장점

어휘 태그

5 **불능** 할 수 없음.
6 **과부하** 기기나 장치가 다룰 수 있는 일의 정상치를 넘은 상태. 과부하가 되면 신호 처리에 왜곡이 생기거나, 회로를 구성하는 부품이 과열될 수 있다.
7 **기종** 기계의 종류.

지문의 난이도는 어땠어?

확인하기

🔑1 패킷 교환 방식의 과정

> **발신지**
>
> 메시지가 여러 개의 **1** ☐☐ 으로 나뉘고 각 패킷에는 헤더가 부착됨.

↓

> **패킷 2** ☐☐☐
>
> 각각의 패킷은 버퍼와 여러 개의 노드로 이루어진 패킷 교환망을 지남.

↓

> **수신지**
>
> 개별적으로 도착한 패킷들이 일련번호의 순서에 맞게 원래의 메시지로 재결합됨.

🔑2 패킷 교환 방식의 장점

> 방대한 양의 **3** ☐☐☐ 를 빠르게 전송할 수 있음.

> 상대방의 주소를 갖고 있어 데이터 전송의 신뢰도가 높음.

장점

> 하나의 경로에 과부하가 걸려도 다른 경로로 전송이 가능함.

> **4** ☐☐ 에 관계없이 데이터를 주고받을 수 있음.

---

01 이 글의 중심 내용으로 가장 적절한 것은?

① 패킷 교환 방식의 장점과 단점
② 정보 전송 방법이 발전해 온 과정
③ 네트워크상에서 정보를 전송하는 원리
④ 네트워크상에서 정보 전송 시 주의할 점
⑤ 일반 우편과 이메일 전송 방식의 차이점

02 이 글에 사용된 용어를 정리할 때, 적절하지 <u>않은</u> 것은?

① '패킷'은 조각조각 나뉜 데이터를 말한다.
② '헤더'는 전달하려는 메시지 자체를 가리킨다.
③ '버퍼'는 패킷이 잠시 저장되는 기억 장치이다.
④ '노드'는 패킷이 지나가는 여러 개의 통신 지점이다.
⑤ '네트워크'는 데이터를 주고받을 수 있는 시스템이다.

03 이 글을 읽고 보기의 밑줄 친 부분을 채워 내용을 완성하려고 한다. 가장 적절한 것은?

> **보기** 대용량 이메일을 보내려면 _____된다.

① 데이터를 밤이나 새벽에 보내면
② 데이터를 하나의 경로로만 보내면
③ 데이터를 작은 단위로 나누어 보내면
④ 데이터를 여러 날에 걸쳐 느리게 보내면
⑤ 데이터를 컴퓨터에 저장해 두었다가 보내면

독해 포인트 문제

04 이 글에서 알 수 있는 '패킷 교환 방식'의 장점으로 적절하지 <u>않은</u> 것은?

① 데이터 전송에 오류가 없다.
② 데이터 전송의 신뢰도가 높다.
③ 데이터를 빠르게 전송할 수 있다.
④ 많은 양의 데이터를 전송할 수 있다.
⑤ 기종에 상관없이 데이터 교류가 가능하다.

독해 포인트 문제

05 보기는 '패킷 교환 방식'을 그림으로 표현한 것이다. A~D에 대한 설명으로 적절하지 <u>않은</u> 것은?

보기

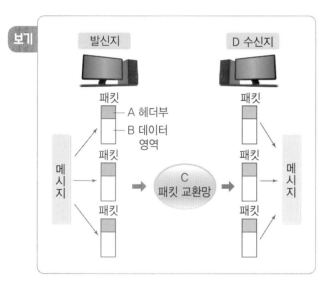

① A - 패킷이 최종적으로 전달될 주소와 패킷의 일련번호에 대한 정보가 담겨 있다.
② B - 전달하고자 하는 메시지의 내용과 에러 체크 데이터가 포함되어 있다.
③ C - 패킷이 원활하게 전송될 수 있도록 패킷을 잠시 저장해 두는 장치가 있다.
④ C - 이곳을 통과할 때 패킷들은 여러 경로를 거쳐 이동한다.
⑤ D - 전송된 패킷들은 이곳에 일련번호에 따른 순서대로 도착한다.

06 ㉠과 문맥적 의미가 가장 유사한 것은?

① 10을 5로 <u>나누면</u> 몫은 2이다.
② 이 글을 네 문단으로 <u>나누시오</u>.
③ 차라도 한잔 <u>나누면서</u> 이야기해 보자.
④ 나는 책을 종류별로 <u>나누는</u> 일을 한다.
⑤ 물건들을 정품과 불량품으로 <u>나누어야</u> 한다.

완벽 마스터 문제

07 이 글의 내용과 일치하지 <u>않는</u> 것은?

① 버퍼는 먼저 도착한 패킷부터 내보낸다.

3문단에서 패킷이 한꺼번에 나가면 경로가 막힐 수 있으므로 버퍼에 저장되었다가 먼저 도착한 순서대로 나간다고 하였다.

② 패킷은 흩어져 여러 개의 노드를 통해 이동한다.

4문단에서 [❶   ] 하나에 여러 개의 경로가 연결되어 있어 패킷들은 흩어져 이동한다고 하였다.

③ 모든 패킷이 전송되지 못하면 에러 메시지가 뜬다.

4문단에서 수신지에서 패킷들이 [❷   ]대로 재결합되지 못할 때에도 에러 메시지가 뜬다고 하였다.

④ 패킷 이동 경로에 과부하가 발생하면 메시지 전송이 취소된다.

5문단에서 한 경로에 [❸   ]가 발생하더라도 다른 경로를 통해 패킷을 전송할 수 있다고 하였다.

⑤ 패킷의 일련번호는 메시지를 원래의 모습으로 만들기 위해 필요하다.

4문단에서 수신지에 패킷이 모두 도착하면 일련번호의 순서에 맞게 원래의 메시지로 재결합된다고 하였다.

7문제 중에
____ 문제 맞혔어!

10 윤리학과 윤리 공동체의 변화

이번에 읽을 글은 윤리학에서 다루는 윤리 공동체의 범위를 살펴보고 있어.
글을 읽기 전에 어휘를 미리 알아 두면 글을 이해하는 데 도움이 될 거야.

읽기 전 어휘 체크

○ 악의

○ 타자

○ 윤리

○ 제외

○ 잣대

○ 주체/객체

01 한자를 통해 뜻 추측하기

다음 한자를 보고 각 어휘의 뜻을 추측하시오.

악의	타자	윤리	제외
惡 악하다 　악 意 뜻 　의	他 다르다 　타 者 사람 　자	倫 도리 　윤 理 이치 　리	除 덜다, 없애다 　제 外 바깥 　외
①	②	③	④

㉠	㉡	㉢	㉣
나쁜 마음.	따로 떼어 내어 한 데 헤아리지 않음.	사람으로서 마땅히 행하거나 지켜야 할 도리.	자기 외의 사람. 또는 다른 것.

02 문장을 통해 뜻 추측하기

다음 문장에 공통으로 쓰인 '잣대'의 뜻을 추측하시오.

- 아직도 외모를 합격의 잣대로 이용하는 곳이 있다고요?
- 이번 경기는 우리 팀의 실력을 가늠할 수 있는 잣대가 되었다.
- 법의 잣대가 돈이 있는 사람과 없는 사람에게 달리 적용되어서는 안 된다.

① 특별히 잘 대우함. 또는 그런 대우.
② 자로 쓰는 대막대기나 나무 막대기를 이르는 말.
③ 어떤 현상이나 문제를 판단하는 데 근거가 되는 기준을 비유적으로 이르는 말.

03 한자를 통해 뜻 추측하기

다음을 보고 빈칸에 들어갈 알맞은 어휘를 각각 쓰시오.

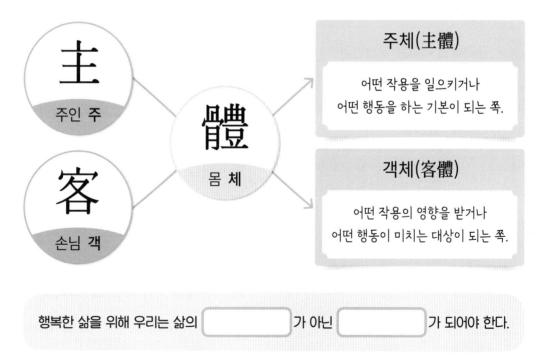

행복한 삶을 위해 우리는 삶의 [　　　]가 아닌 [　　　]가 되어야 한다.

지금 배운 어휘들은 이어질 글에 표시해 두었어.
어휘의 뜻을 떠올리며 글을 읽어 보자.

10

윤리학과 윤리 공동체의 변화

이 글을 읽기 전에 먼저
이 글의 독해 포인트 를 확인해 보자!

독해 포인트

1 윤리학의 역할은 무엇인가?

2 윤리 공동체의 범위는 어떻게 변화해 왔는가?

#가 인간은 혼자서 살 수 없다. 인간은 크든 작든 어떤 공동체 안에 속해 다른 인간과 함께 살아가는 [1]사회적 동물이다. 따라서 '나'의 의도와 행동은 공동체 안에서 함께하는 **타자**의 행복에 긍정적으로나 부정적으로나 영향을 미칠 수밖에 없다. 이러한 이유로 인간의 삶은 **윤리**의 테두리에서 완전히 자유로울 수 없다. 사회적 동물인 인간은 [2]필연적으로 윤리적 동물인 것이다.

#나 '나'와 타자를 각각 윤리적 ㉠**주체**와 ㉡**객체**라고 할 때, 둘 사이에서는 피할 수 없는 갈등이 일어난다. 이때 윤리적 주체인 '나'는 윤리적 객체인 타자에 대해 어떤 '선한' 의도를 가지고 어떤 '옳은' 행동을 할 것인지 판단해야 한다. 이러한 선과 악, 옳고 그름을 판단하는 데에는 판단의 **잣대**가 먼저 갖추어져 있어야 한다. 윤리학의 가장 중요한 역할은 선과 악, 옳고 그름을 판단하는 잣대로서 [3]보편적인 [4]규범을 제시하고, 그 규범의 타당성을 뒷받침하는 데에 있다.

#다 그러나 모든 사람과 모든 상황에 적용할 수 있는 보편적 윤리 규범이라는 것이 객관적으로 존재하는지는 확실하게 대답하기 어렵다. 한 가지 분명한 것은 윤리 공동체의 범위를 어디까지 할 것인가에 따라 그 규범의 타당성이 달라질 수 있다는 것이다. 윤리 공동체의 구성원으로 어떤 대상을 포함하고 **제외**할 것이냐에 따라 그 규범은 인정될 수도 있고 부정될 수도 있다. 윤리적 주체는 언제나 자기 자신, 즉 '나'이다. 반면 윤리적 객체의 범위를 결정하는 것은 언뜻 보기와는 달리 복잡하다.

어휘 태그

1 사회적 모든 형태의 인간 집단에 관계되거나 사회생활을 하려고 하는 인간의 성질인 사회성을 지닌 것.

2 필연적 사물의 관련이나 일의 결과가 반드시 그렇게 될 수밖에 없는 것.

3 보편적 모든 것에 두루 미치거나 통하는 것.

4 규범 인간이 행동하거나 판단할 때에 마땅히 따르고 지켜야 할 가치 판단의 기준.

#라 윤리 공동체의 범위는 오랜 세월에 걸쳐 변화해 왔다. 고대 그리스의 아리스토텔레스 윤리학에서 말하는 윤리 공동체에는 당시 그리스의 시민 [5]계급인 성인 남자만 포함되었다. 여자, 외국인과 노예 계급은 포함되지 않았다. 따라서 고대 그리스의 윤리학에서는 어떤 사람이 **악의**를 가지고 노예를 때릴지라도, 그 행동은 악한 행동도 그른 행동도 아니었다. 당시 노예 계급은 윤리적 객체의 범위에 속하지 않아서 규범이 타당한지를 판단할 때 고려되지 않았기 때문이다.

#마 이러한 윤리학은 근대로 넘어오면서 인류 [6]평등사상으로 변화한다. 인류 평등사상은 모든 인류를 차별 없이 윤리 공동체에 포함하는 것이다. 인류 평등사상에 근거한 근대의 윤리학에서는 윤리적 객체인 타자의 범위를 확대하여 가족, 부족, 민족, 인종 등의 벽을 무너뜨리고 모든 인류를 윤리 공동체로 포함한다. 하지만 인간 이외에 동식물 등은 윤리 공동체 밖으로 둔다는 점에서 여전히 [7]배타적이며 인간 중심적이라는 한계가 있었다.

#바 현대에는 이러한 근대 윤리학의 한계를 지적하고 이를 보완한 환경 윤리학이 주목받고 있다. 환경 윤리학은 인간 이외의 모든 생명체도 윤리 공동체에 포함하여 인간의 윤리적 배려의 대상으로 삼는다. 근대 윤리학의 윤리 공동체 범위가 더욱 확장된 개념이다. 이 새로운 윤리학은 자연을 단지 인간을 위한 [8]수단으로 여겼던 인간 중심적 사고방식이 자연에 어떤 부정적 영향을 주었는지 돌아보게 한다. 그리하여 인간이 동식물과 자연환경을 보호하는 방식으로 행동하게끔 하는 것이다.

#문단별 핵심 태그

가 사회적인 동물인 인간은 필연적으로 # 동물임

나 윤리학은 판단의 잣대인 # 을 제시하고 규범의 타당성을 뒷받침함

다 규범의 타당성은 # 공동체의 범위를 어디까지로 하느냐에 따라 달라짐

라 고대 그리스의 아리스토텔레스 윤리학에서는 # 계급인 성인 남자만 윤리 공동체에 포함함

마 근대의 인류 평등사상에서는 모든 # 를 윤리 공동체에 포함함

바 현대의 # 윤리학에서는 모든 생명체를 윤리 공동체에 포함함

(어휘 태그)
5 **계급** 일정한 사회에서 신분, 재산, 직업 등이 비슷한 사람들로 형성되는 집단.
6 **평등사상** 모든 사람은 법 앞에 권리, 의무, 자격 등이 차별 없이 고르고 한결같다고 주장하는 사상.
7 **배타적** 남을 따돌리거나 거부하여 밀어 내치는 것.
8 **수단** 어떤 목적을 이루기 위한 방법. 또는 그 도구.

1 윤리학의 역할

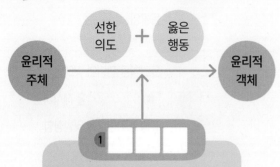

윤리적 주체 → 선한 의도 + 옳은 행동 → 윤리적 객체

1 ☐☐☐

- 선과 악, 옳고 그름을 판단하는 잣대로 보편적인 규범을 제시함.
- 제시한 규범의 타당성을 뒷받침함.

2 윤리 공동체의 범위

고대 그리스의 아리스토텔레스 윤리학

윤리 공동체의 범위에 2 ☐☐ 계급인 성인 남자만 포함하였고, 여자, 외국인, 노예 계급은 제외하였음.

↓

근대의 인류 평등사상

가족, 부족, 민족, 인종 등에 관계없이 모든 인류를 윤리 3 ☐☐☐ 에 포함하였지만 인간 이외의 생명체는 포함하지 않았음.

↓

현대의 환경 윤리학

윤리적 객체의 범위를 인간뿐만 아니라 모든 4 ☐☐☐ 로 확대함.

01 이 글의 내용을 이해하며 읽기 위한 방법으로 적절하지 <u>않은</u> 것은?

① 인간이 윤리적으로 행동해야 하는 이유를 생각하며 읽는다.
② 인간이 살아가는 데 있어 윤리학이 어떤 역할을 하는지 파악하며 읽는다.
③ 윤리학에서 말하는 윤리적 주체와 윤리적 객체의 개념을 이해하며 읽는다.
④ 윤리학이 변화하면서 윤리 공동체의 범위가 어떻게 변화했는지 비교하며 읽는다.
⑤ 윤리 공동체의 범위에 윤리학 외에 어떤 학문이 영향을 주었는지 살펴보며 읽는다.

독해 포인트 문제

02 '윤리 규범'에 대한 설명으로 적절하지 <u>않은</u> 것은?

① 선과 악, 옳고 그름을 판단하는 잣대이다.
② 윤리학은 윤리 규범의 타당성을 뒷받침한다.
③ 보편적인 윤리 규범이 객관적으로 존재한다.
④ 윤리 공동체의 범위에 따라 타당성이 달라진다.
⑤ 윤리적 주체와 객체 사이의 갈등이 있을 때 필요하다.

03 #나 에 제시된 '윤리적 주체'의 바람직한 모습으로 가장 적절한 것은?

① 다른 사람의 생각을 무조건 따르는 모습
② 자연에 묻혀 여유를 즐기며 살아가는 모습
③ 세상과 인연을 끊고 홀로 자신만의 삶을 살아가는 모습
④ 자신의 이익을 위하여 수단과 방법을 가리지 않는 모습
⑤ 내가 좋다 하더라도 다른 사람이 싫어하는 일은 하지 않는 모습

04 '환경 윤리학'의 관점에서 보기를 읽고 보일 반응으로 가장 적절한 것은?

> 보기
>
> 고라니가 사람들이 사는 곳으로 내려와 농작물을 먹거나 교통사고의 원인이 되는 등 점점 더 많은 피해를 주고 있다. 국립 생태원은 사람들이 산과 숲에 도로를 만들면서 고라니가 살 곳이 줄어든 것을 원인으로 꼽았다.

① 고라니는 윤리적 객체가 아니므로 신경 쓸 필요가 없어.
② 농작물을 해친 고라니의 행동은 악하면서 그른 것이야.
③ 고라니의 행복이 더 중요하므로 인간이 만든 도로를 없애야 해.
④ 고라니가 살아갈 수 있는 환경을 만들어서 인간과 고라니가 공존해야 해.
⑤ 인간을 위해 산과 숲을 개발한 행동은 악하거나 그르다고 판단할 수 없어.

독해 포인트 문제

05 보기는 각 윤리학에서 말하는 윤리 공동체의 범위를 도식화한 것이다. A~C에 대한 설명으로 적절하지 않은 것은?

> 보기
>
> A 현대의 환경 윤리학
> B 근대의 인류 평등사상
> C 고대 그리스의 아리스토텔레스 윤리학

① A에는 인간을 둘러싼 자연환경도 포함된다.
② B에서 자연은 인간을 위한 수단으로 여겨진다.
③ C에는 고대 그리스의 성인 남녀만 포함된다.
④ A, B, C에서 윤리적 주체는 항상 자기 자신이다.
⑤ C → B → A의 순서로 윤리 공동체의 범위가 확대된다.

06 다음 중 어휘의 관계를 '㉠ 주체 ↔ ㉡ 객체'처럼 표현할 수 없는 것은?

① 선 ↔ 악
② 수단 ↔ 도구
③ 옳다 ↔ 그르다
④ 필연적 ↔ 우연적
⑤ 보편적 ↔ 특수적

완벽 마스터 문제

07 이 글의 내용으로 알 수 없는 것은?

① 근대의 윤리학은 인류 평등사상에 근거한다.

> (마)에서 고대의 윤리학은 근대로 넘어오면서 인류 [❶]으로 변화했다고 하였다.

② 근대의 윤리학은 가족, 민족, 인종을 차별하지 않는다.

> (마)에서 근대의 윤리학은 모든 인류를 차별 없이 윤리 공동체에 포함한다고 하였다.

③ 현대의 윤리학은 인간 중심적 사고방식에 비판적이다.

> (바)에서 현대의 환경 윤리학은 근대의 인간 중심적인 윤리관의 한계를 지적하고 이를 보완했다고 하였다.

④ 현대의 윤리학은 인간 외의 동식물은 윤리 공동체의 범주에 포함하지 않는다.

> (바)에서 현대의 [❷] 윤리학은 모든 생명체를 윤리적 배려의 대상으로 삼는다고 하였다.

⑤ 고대 그리스의 아리스토텔레스 윤리학에서 노예 계급은 윤리적 객체로 인정받지 못한다.

> (라)에서 고대 그리스에서는 [❸] 계급에 속하는 사람만을 윤리 공동체에 포함했다고 하였다.

7문제 중에
_____ 문제 맞혔어!

11

안다는 것은 무엇인가

이번에 읽을 글은 인식론에서 지식의 유형을 어떻게 분류하는지 설명하고 있어.
글을 읽기 전에 어휘를 미리 알아 두면 글을 이해하는 데 도움이 될 거야.

01 한자를 통해 뜻 추측하기

다음 한자를 보고 각 어휘의 뜻을 추측하시오.

본성		절차		의존		증거	
本 근본, 뿌리	본	節 마디	절	依 의지하다	의	證 밝히다	증
性 성질	성	次 둘째, 차례	차	存 있다	존	據 근거	거
①		②		③		④	

ㄱ	ㄴ	ㄷ	ㄹ
다른 것에 의지하여 존재함.	일을 치르는 데 거쳐야 하는 순서나 방법.	어떤 사실이 진실인지 아닌지를 밝힐 수 있는 근거.	사물이나 현상에 본디부터 있는 고유한 특성.

02 사전에서 뜻 찾기

다음 철학 용어 사전을 참고하여 빈칸에 들어갈 어휘를 찾아 쓰시오.

철학 용어 사전

- **명제**: 어떤 문제에 대한 판단을 문장이나 식으로 표현한 것. 참과 거짓을 판단할 수 있음.
- **표상**: 어떤 대상을 인식했을 때 직관적으로 떠오르는 대상의 모습.

(1) '인간은 포유류이다.'라는 문장은 참인 [   ]이다.

(2) '봄'하면 벚꽃이 날리는 모습이 떠오른다. 봄의 [   ]은 벚꽃이다.

03 자료를 통해 뜻 추측하기

다음을 보고 '감각'의 뜻을 추측하시오.

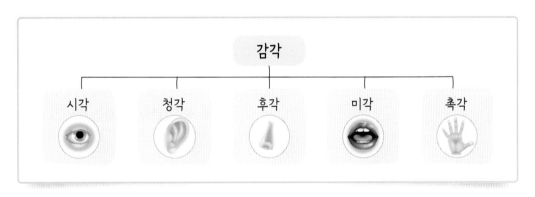

그는 감각이 예민하여 사소한 자극에도 크게 반응한다.

① 어려움을 참고 버티어 이겨 냄.
② 어떤 현상이나 일에 대하여 일어나는 마음이나 느끼는 기분.
③ 눈, 코, 귀, 혀, 살갗을 통하여 바깥의 어떤 자극을 알아차림.

지금 배운 어휘들은 이어질 글에 **표시**해 두었어.
어휘의 뜻을 떠올리며 글을 읽어 보자.

11
안다는 것은 무엇인가

이 글을 읽기 전에 먼저
이 글의 독해 포인트를 확인해 보자!

독해 포인트

 1 지식의 유형은 어떻게 나뉘는가?

 2 지식의 유형별 특성은 무엇인가?

#1문단 [1]인식론은 지식의 **본성**을 다루는 학문이다. 인식론은 흔히 지식의 유형을 나누는 데에서 출발한다. 이때 지식의 유형은 '안다'는 말의 다양한 쓰임을 통해 드러나기도 한다. 예컨대 '그는 자전거를 탈 줄 안다.'와 '그는 이 사과가 둥글다는 것을 안다.'에서 각각 사용된 '안다'가 바로 그런 경우이다. 첫 번째 문장의 '안다'는 어떤 일을 [2]수행할 수 있는 능력을 가지고 있음을 의미하는 것으로 '**절차**적 지식'이라고 부른다. 두 번째 문장의 '안다'는 어떤 대상에 대한 [3]정보를 가지고 있음을 의미하는 것으로 '**표상**적 지식'이라고 부른다.

#2문단 어떤 사람이 자전거의 역사, 자전거의 종류, 자전거의 구조 등 자전거에 대한 정보를 많이 가지고 있다고 해서 자전거를 탈 수 있게 되는 것은 아니다. 또한 자전거를 탈 줄 알기 위해서 반드시 자전거에 대한 많은 정보를 가지고 있어야 하는 것도 아니다. 자전거에 대한 아무런 정보가 없더라도 직접 자전거를 타보고 넘어지거나 다치면서 자전거 타는 법을 배울 수도 있다. 이처럼 절차적 지식은 어떤 일을 수행하는 능력과 관계된 것으로, 훈련을 통해 얻을 수 있는 것이지 특정 정보가 꼭 필요한 것은 아니다.

어휘 태그

1 **인식론** 인식의 기원과 본질, 인식 과정의 형식과 방법에 관해 연구하는 철학의 한 부문.
2 **수행할** 생각하거나 계획한 대로 일을 해낼.
3 **정보** 관찰이나 측정을 통하여 수집한 자료를 실제 문제에 도움이 될 수 있도록 정리한 지식. 또는 그 자료.

#3문단 반면, '이 사과가 둥글다.'라는 것을 알기 위해서는 둥근 사과의 이미지나 '이 사과는 둥글다.'라는 **명제** 같은 어떤 정보를 마음속에 떠올려야 한다. 이미지나 명제처럼 마음속에 떠올린 정보를 표상이라고 할 수 있으므로, 이러한 지식을 '표상적 지식'이라고 부르는 것이다. 그런데 어떤 표상적 지식을 새로 얻는다고 해서 이전에 할 수 없었던 일을 할 수 있게 되는 것은 아니다. 즉, 표상적 지식은 어떤 일을 수행하는 능력과는 직접적인 관련이 없다.

#4문단 표상적 지식은 다시 **감각** 경험에 **의존**하는지 여부에 따라 ㉠'경험적 지식'과 ㉡'[4]선험적 지식'으로 나눌 수 있다. 경험적 지식이란 감각 경험에서 얻은 **증거**에 의존하는 지식으로, '그는 이 사과가 둥글다는 것을 안다.'가 그 예이다. '그'가 실제로 둥근 사과를 눈으로 보는 경험을 할 때 사물의 물리적인 상태, 즉 사과의 둥근 상태가 시각을 통해서 입력되고, [5]인지 과정을 거쳐 '이 사과는 둥글다.'라는 하나의 표상적 지식이 이루어진다.

#5문단 경험적 지식과 달리 감각 경험의 증거에 의존하지 않는 지식을 선험적 지식이라고 한다. 예컨대 '1+1=2'라는 명제는 경험에 의해 [6]증명되는 지식이 아니며, 감각 경험에 의해서 [7]반박할 수도 없는 절대적 진리이다. 그래서 어떤 철학자들은 인간에게 경험 말고도 지식을 만들어 내는 다른 인식 능력이 있다고 생각하며, 수학적 지식이 그것을 보여 주는 좋은 예라고 믿는다.

#문단별 핵심 태그

1문단
\#　　　　지식과
표상적 지식의 개념

2문단
절차적 지식의 특성
ㅡ 훈련을 통해 얻고, 특정
\#　　　　가 필요하지 않음

3문단
표상적 지식의 특성
ㅡ 일을 수행하는
\#　　　　과 관련 없음

4문단
표상적 지식의 유형 ①
ㅡ 감각 경험에 의존하는
\#　　　　지식

5문단
표상적 지식의 유형 ②
ㅡ 감각 경험에 의존하지 않는
\#　　　　지식

어휘 태그

4 **선험적** 어떤 대상에 대한 경험을 하지 않고 그 대상을 인식할 수 있는 것.
5 **인지** 기억, 상상, 추리 등, 자극을 받아들이고, 저장하고, 밖으로 빼내는 것으로 이어지는 정신 과정.
6 **증명되는** 어떤 명제나 판단 또는 진위(참과 거짓)를 정하는 근거가 표시되는.
7 **반박할** 어떤 의견, 주장, 논설 등에 대해 반대하여 말할.

11 안다는 것은 무엇인가

지문의 난이도는 어땠어?
下　中　上

1 지식의 유형 분류

'안다'의 의미

↙ ↘

절차적 지식
어떤 일을 수행할 수 있는 **1** ☐☐ 을 가지고 있는 지식

표상적 지식
어떤 대상에 대한 **2** ☐☐ 를 가지고 있는 지식

↓

감각 경험 의존 여부

↙ ↘

경험적 지식
감각 경험에 의존하는 지식

선험적 지식
감각 경험에 의존하지 않는 지식

2 지식의 유형별 특성

절차적 지식	**3** ☐☐ 을 통해 얻을 수 있는 것으로 특정 정보가 꼭 필요하지는 않음.
	어떤 일을 수행하는 능력과는 직접적인 관련이 없음.
표상적 지식	경험적 지식: 감각을 통해 입력된 정보를 인지하는 과정을 거쳐 이루어짐.
	선험적 지식: **4** ☐☐ 에 의해 증명되지 않으며, 감각 경험에 의해서 반박할 수 없음.

01 이 글의 제목과 부제로 가장 적절한 것은?

① 지식의 유형과 특성
 — 절차적 지식과 표상적 지식을 중심으로
② 지식과 정보의 관계
 — 이와 관련된 구체적인 사례를 중심으로
③ 인식론의 발전 과정
 — 인식론 철학자들의 주요 사상을 중심으로
④ 감각 경험의 중요성
 — 감각 경험을 통해 받아들이는 지식을 중심으로
⑤ 인식론에서 다루는 지식
 — 경험적 지식과 선험적 지식의 차이를 중심으로

02 ㉠과 ㉡을 비교한 내용으로 적절하지 <u>않은</u> 것은?

① ㉠과 ㉡은 모두 표상적 지식이다.
② ㉠과 ㉡은 정보를 소유하는 것을 의미한다.
③ ㉠은 ㉡과 달리 훈련을 통하여 얻는 지식이다.
④ ㉠은 ㉡과 달리 감각 경험의 증거에 의존한다.
⑤ ㉡은 ㉠과 달리 감각 경험에 의해서 반박될 수 없다.

03 밑줄 친 말이 의미하는 바가 '표상적 지식'과 거리가 <u>먼</u> 것은?

① 12를 3으로 나누면 4인 것을 <u>알아</u>.
② 나는 지금 나오는 노래의 제목을 <u>알아</u>.
③ 나는 어릴 때 배워서 수영을 할 줄 <u>알아</u>.
④ 바나나가 노랗다는 사실은 내 동생도 <u>알아</u>.
⑤ 문제의 답이 '지도'인 줄 <u>알고</u> 있었지만, 실수로 잘못 말했어.

04 보기에서 설명하는 지식의 유형이 무엇인지 이 글에서 찾아 쓰시오.

보기
- 감각 경험에서 얻은 증거에 의존하는 지식
- '그는 이 사과가 둥글다는 것을 안다.'에서 '안다'가 의미하는 지식

이 사과는 둥글다.

05 이 글을 바탕으로 보기를 이해할 때, 그 내용으로 적절하지 않은 것은?

보기
 민기는 야구를 배우기 위해 야구의 역사, 규칙, 방법 등을 담은 책을 열심히 읽었다. 또한 야구 경기 영상을 수백 번 돌려 봤다. 그 결과 민기는 야구에 관한 다양한 정보를 알게 되었다. 하지만 직접 야구장에 선 민기는 안타는커녕 야구 방망이로 공을 맞히지도 못하였다.

① 민기는 책을 통하여 야구에 대한 표상적 지식을 얻었다.
② 민기는 경기 영상을 통하여 야구에 대한 선험적 지식을 얻었다.
③ 민기가 안타를 치기 위해서는 직접 공을 맞히는 훈련을 해야 한다.
④ 민기가 공을 맞히지 못한 이유는 절차적 지식이 부족하였기 때문이다.
⑤ 민기의 모습은 야구에 관한 정보를 많이 알아도 야구를 못할 수 있음을 보여 준다.

06 다음 중 '명제'가 아닌 것은?

① 2+2=4
② 지우는 누구인가?
③ 원숭이는 조류이다.
④ 아시아 대륙은 달에 있다.
⑤ 서울은 대한민국의 수도이다.

완벽 마스터 문제

07 이 글의 내용과 일치하지 않는 것은?

① 인식론은 지식의 본성을 다루는 학문이다.

1문단에서 인식론이 다루는 분야인 [❶   ]과, 인식론이 지식을 어떻게 나누는지를 제시하였다.

② 인간은 감각 경험을 통해 지식을 얻을 수 있다.

4문단에서 감각을 통해 입력된 정보가 인지 과정을 거치면 하나의 표상적 지식으로 이루어진다고 하였다.

③ 마음속에 떠올린 이미지나 명제와 같은 정보를 '표상'이라고 한다.

3문단에서 대상에 대한 이미지나 명제 등 마음속에 떠올린 [❷   ]를 '표상'이라고 할 수 있다고 하였다.

④ 어떤 일에 대한 정보의 양과 그 일을 수행하는 능력은 직접적인 관련이 있다.

3문단에서 [❸   ] 지식을 새로 얻는다고 해서 할 수 없었던 일을 할 수 있게 되는 것은 아니라고 하였다.

⑤ 수학적 지식은 인간이 경험하지 않고도 지식을 만들어 낼 수 있음을 보여 준다.

5문단에서 대표적인 선험적 지식인 수학적 지식은, 인간에게 경험 말고도 지식을 만들어 내는 능력이 있다는 것을 보여 주는 예라고 하였다.

7문제 중에
_____문제 맞혔어!

12 루소의 사회 계약설

이번에 읽을 글은 루소의 사회 계약설을 다른 사상가들의 이론과 비교하여 설명하고 있어.
글을 읽기 전에 어휘를 미리 알아 두면 글을 이해하는 데 도움이 될 거야.

01 한자를 통해 뜻 추측하기

다음 한자를 보고 각 어휘의 뜻을 추측하시오.

존중	민중	위임	합의	공공
尊 높이다 존 重 소중하다 중	民 백성 민 衆 무리 중	委 맡기다 위 任 맡기다 임	合 합하다 합 意 뜻 의	公 여럿 공 共 함께 공
①	②	③	④	⑤

㉠	㉡	㉢	㉣	㉤
국가나 사회의 구성원에게 두루 관계되는 것.	어떤 일을 책임 지워 맡김.	서로 의견이 일치함. 또는 그 의견.	국가나 사회에서 다수를 이루는 보통 사람들.	높이어 귀중하게 대함.

02 문장을 통해 뜻 추측하기

다음 문장에 공통으로 쓰인 '행사하다'의 뜻을 추측하시오.

> - 강대국이 우리나라에 압력을 행사하였다.
> - 제가 가진 모든 권한을 행사하여 이번 위기를 막겠습니다.
> - 유명한 가수인 그녀는 자신의 영향력을 행사하여 어려운 이웃을 돕는다.

① 어떤 일에 힘이나 권리를 쓰다.
② 몸을 움직여 동작을 하거나 어떤 일을 하다.
③ 해당되지 않는 사람이 어떤 당사자인 것처럼 행동하다.

03 자료를 통해 뜻 추측하기

다음을 보고 '군중'의 뜻을 추측하시오.

축제날이 되자 군중이 광장에
모여 축제가 시작되기를
기다리고 있었다.

① 한곳에 모인 많은 사람.
② 같은 지역에 모여 생활하는 많은 부락.
③ 일정한 규율과 질서를 가지고 조직된 군인의 집단.

> 지금 배운 어휘들은 이어질 글에 표시해 두었어.
> 어휘의 뜻을 떠올리며 글을 읽어 보자.

12
루소의
사회 계약설

이 글을 읽기 전에 먼저
이 글의 독해 포인트 를 확인해 보자!

독해 포인트

 사회 계약설이란 무엇인가?

 루소의 사회 계약설이 이전의
사상과 다른 점은 무엇인가?

#1문단 '사회 계약설'이란 사회나 국가가 개인들의 **합의**와 ¹계약에 의해 발생하였다는 학설이다. 사회 계약설에 따르면 모든 개인은 자유와 권리를 가진다. 그런데 법도 국가도 없는 자연 상태에서는 개인이 자신의 권리를 ²보장받기 어렵다. 따라서 개인들은 평화와 안전을 위해 합의하여 국가를 만들고, 개인의 권리를 국가에 **위임**하게 되는데 이것을 '사회 계약'이라고 한다. 이렇게 만들어진 국가는 개인의 자유와 권리를 지키기 위해 권력을 **행사**할 수 있고, **공공**의 이익을 위해 개인의 자유를 제한할 수도 있다. 사회 계약설을 주장한 사상가로는 홉스, 로크, 루소 등이 있는데, 루소 이전의 사상가들과 루소의 사회 계약설에는 차이가 있다.

#2문단 루소 이전의 여러 사상가들은 자신이 남들보다 잘나고 똑똑하다고 생각하였다. 반면 **민중**은 무식하고 이기적이며 가진 것 없는 불쌍한 존재로 여겼다. 그들은 이러한 민중을 대신해 특별히 뛰어난 한두 사람, 즉 왕이 세상을 지배하는 것이 옳다고 보고, '무식하고 이기적인 사람들을 어떻게 통제해야 사회 질서가 유지될 수 있을까?'를 고민하였다. 그들이 내린 해답은 바로 폭력이었고 왕에게 반항한 죄인은 **군중**이 보는 앞에서 잔인하게 처형하였다. 이를 본 민중은 공포에 떨며 왕에게 복종하였다. 이와 같이 루소 이전 사상가들의 '사회 계약'은 지배층과 민중 사이의 ³수직적인 계약으로 볼 수 있으며, 사회 계약설은 왕이 가진 권력을 ⁴정당화하는 데 활용되었다.

어휘 태그

1 **계약** 사람이나 단체끼리 어떤 조건에 따라 서로 의무나 책임을 질 것을 말이나 글로 정해 둔 약속.
2 **보장받기** 어떤 일이 어려움 없이 이루어지도록 조건이 마련되거나 보호받기.
3 **수직적** 동등한 관계가 아니라 위와 아래의 관계로 이루어지는 것.
4 **정당화하는** 정당성(사리에 맞아 옳고 정의로운 성질)이 없거나 정당성에 의문이 있는 것을 무엇으로 둘러대어 정당한 것으로 만드는.

#3문단 18세기 프랑스의 사상가 루소는 자신의 책 『사회 계약론』에서 이전 사상가들의 사회 계약설을 비판하면서 이를 다른 방향으로 발전시켰다. 우선 루소는 가난하고 배운 것 없는 평범한 사람들도 선할 수 있으며, 서로 도와서 행복한 사회를 만들 수 있다고 여겼다. 또 사람들이 사회 질서를 유지하는 것은 누가 강제로 시켜서가 아니라, 그렇게 하는 것이 개인과 사회 모두에게 이익이 되기 때문이라고 생각하였다. 이러한 생각을 바탕으로 그는 지배 계급이 폭력을 행사하고 민중의 공포심을 ㉠불러일으켜 만든 질서 대신, 민중이 공공의 이익을 위해 협동함으로써 한 차원 더 높은 질서를 만들기를 꿈꾸었다. 따라서 루소의 '사회 계약'은 민중이 왕에게 복종하는 수직적인 계약이 아니라, 자유롭고 평등한 사람들이 자발적으로 합의한 수평적인 계약이었으며 통제를 위한 계약이 아니라 협동을 위한 계약이었다.

#4문단 이처럼 루소는 민중을 내려다보며 한심해하는 ⁵엘리트가 아니라, 민중의 자유와 권리를 **존중**하고 민중을 국가 권력의 주인으로 삼은 사상가였다. 루소 이전의 여러 사상가들은 권력이 왕과 같은 통치자에게 있다고 하였지만, 루소는 권력은 민중에게 있으며 통치자는 민중을 대신하는 심부름꾼에 불과하다고 주장하였다. 이 주장에 따르면 통치자가 법에 따라 통치하지 않고 민중의 자유와 권리를 침해할 경우, 사회 계약은 ⁶파기되며 백성은 통치자에게 저항할 권리가 있었다. 국가 권력의 주인은 통치자가 아니라 민중이라는 이러한 루소의 주장은 현대 ⁷민주주의의 바탕이 되었다.

#문단별 핵심 태그

1문단 # _____의 개념과 사회 계약설을 주장한 사상가들

2문단 루소 이전 사상가들의 사회 계약 — # _____과 민중 사이의 수직적 계약

3문단 루소의 사회 계약 — 자유롭고 평등한 사람들이 합의한 # _____ 계약

4문단 국가 권력의 주인을 # _____ 이라고 본 루소의 주장이 갖는 의의

어휘 태그

5 **엘리트(élite)** 사회에서 뛰어난 능력이 있다고 인정한 사람. 또는 지도적 위치에 있는 사람.
6 **파기되며** 계약, 조약, 약속 등이 깨져 버리며.
7 **민주주의** 국민이 권력을 가지고 그 권력을 스스로 행사하는 제도. 또는 그런 정치를 지향하는 사상. 기본적 인권, 자유권, 평등권, 다수결의 원리, 법치주의를 그 기본 원리로 한다.

확인하기

🔑 1 사회 계약설

개념	사회 계약설은 사회나 국가가 개인들의 합의와 **1**⬚⬚에 의해 발생하였다는 학설임.
내용	• 개인들은 평화와 안전을 보장받기 위해 **2**⬚⬚를 만들고, 개인의 권리를 국가에 위임함. • 국가는 개인의 자유와 권리를 지키기 위해 권력을 행사하고, 공공의 이익을 위해 개인의 자유를 제한할 수 있음.

🔑 2 루소의 사회 계약설의 특징과 의의

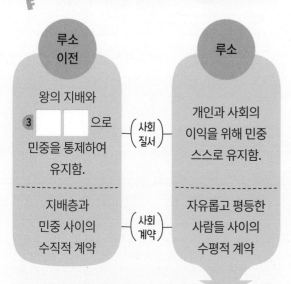

루소 이전

왕의 지배와 **3**⬚⬚으로 민중을 통제하여 유지함.
(사회 질서)
개인과 사회의 이익을 위해 민중 스스로 유지함.

지배층과 민중 사이의 수직적 계약
(사회 계약)
자유롭고 평등한 사람들 사이의 수평적 계약

루소의 사회 계약설의 의의
민중의 자유와 권리를 존중하고 **4**⬚⬚을 국가 권력의 주인으로 삼은 루소의 주장은 현대 민주주의의 바탕이 됨.

---

01 '사회 계약설'에 대한 설명으로 적절하지 <u>않은</u> 것은?

① 국가가 어떻게 발생했는지에 대한 학설이다.
② 사회 계약설에서 모든 개인에게는 자유가 있다.
③ 사회 계약설을 주장한 대표적인 사상가는 홉스, 로크, 루소이다.
④ 사회 계약으로 만들어진 국가는 개인의 자유를 절대 제한할 수 없다.
⑤ 사회 계약이 없는 상태에서는 개인의 평화와 안전이 보장되지 않는다.

02 이 글에 나타난 글쓴이의 태도로 적절한 것은?

① 사회 계약설의 오류를 비판하고 있다.
② 왕이 권력을 가지는 것에 찬성하고 있다.
③ 사회 계약설을 주장한 모든 사상가를 지지하고 있다.
④ 루소 이전 사상가들의 사회 계약설을 부정적으로 평가하고 있다.
⑤ 루소 이전 사상가들의 이론과 루소의 이론이 같은 내용이라고 여기고 있다.

03 다음 밑줄 친 부분에 들어갈 말로 적절한 것은?

> 루소의 사회 계약설, _____

① 사회 계급을 나누다.
② 국가의 멸망을 외치다.
③ 새로운 왕국을 세우다.
④ 엘리트주의의 기초가 되다.
⑤ 현대 민주주의의 뿌리가 되다.

독해 포인트 문제

04 이 글에 나타난 '루소'의 주장을 모두 고른 것은?

> ㄱ. 민중은 무식하고 이기적인 존재이다.
> ㄴ. 국가의 권력은 통치자가 아닌 민중에게 있다.
> ㄷ. 사회 질서는 공공의 이익을 위한 사람들의 협동으로 만들어진다.
> ㄹ. 사회 계약은 자유롭고 평등한 개인들 사이의 수평적인 계약이다.

① ㄱ, ㄴ
② ㄱ, ㄴ, ㄷ
③ ㄱ, ㄷ, ㄹ
④ ㄴ, ㄷ, ㄹ
⑤ ㄱ, ㄴ, ㄷ, ㄹ

05 보기 에 대해 '루소'가 보일 반응으로 적절하지 않은 것은?

> 보기
> 대를 이어 왕이 다스리는 국가가 있었다. 이 국가의 왕은 이전의 왕보다 훨씬 똑똑하고 뛰어났으며, 나라의 영토를 늘리는 등 큰 공을 세웠다. 그러나 왕은 자신의 말을 듣지 않는 신하나 백성은 무조건 감옥에 가두었다. 또한 법과 상관없이 자신에게 반대한다는 이유만으로 감옥에 가두었던 사람들을 공개적으로 잔인하게 사형에 처하였다. 백성들은 공포에 떨며 모두 왕에게 복종하였다.

① 이 국가의 민중은 권리를 존중받지 못하겠군.
② 이 국가의 질서는 폭력과 공포심으로 이루어졌겠군.
③ 이 국가의 사회 계약은 이미 깨진 것이나 다름없겠군.
④ 이 국가의 백성들도 서로 도와 행복한 사회를 만들 수 있겠군.
⑤ 이 국가의 왕은 이전의 왕보다 뛰어나니 권력을 가질 자격이 있겠군.

06 ㉠과 바꾸어 쓰기에 적절하지 않은 것은?

① 일으켜
② 자아내어
③ 유발하여
④ 사그라뜨려
⑤ 일어나게 하여

완벽 마스터 문제

07 이 글의 내용과 일치하지 않는 것은?

① 루소는 자신 이전의 사상가들을 비판하였다.

> 3문단에서 [❶   ]는 자신의 책에서 기존 사상가들의 사회 계약설을 비판하였다고 하였다.

② 루소는 자신이 민중보다 잘났다고 생각하였다.

> 2문단을 보면, 민중을 자신보다 무식하고 이기적인 존재로 본 것은 루소 이전의 사상가들이었다.

③ 사회 계약설에서는 사회의 질서를 유지하는 것을 중시하였다.

> 사회 질서를 유지하기 위한 방법에 대한 생각은 사상가마다 달랐지만, 어떻게 사회 질서를 유지할 것인가에 대한 고민은 똑같았다고 볼 수 있다.

④ 루소 이전에는 사회 계약설이 왕의 권력을 정당화하는 데 쓰였다.

> 2문단에서 루소 이전의 사상가들은 [❷   ]과 같이 특별히 뛰어난 한두 사람이 세상을 지배하는 것이 옳다고 하였다.

⑤ 루소는 공포심으로 만든 질서보다 협동으로 만든 질서가 더 수준 높다고 생각하였다.

> 3문단에서 루소는 민중들이 공공의 [❸   ]을 위해 협동하여 한 차원 더 높은 질서를 만들기를 꿈꾸었다고 하였다.

7문제 중에
_____ 문제 맞혔어!

13 한국 전통 음악의 특징

이번에 읽을 글은 한국 전통 음악의 특징을 네 가지 영역으로 나누어 설명하고 있어.
글을 읽기 전에 어휘를 미리 알아 두면 글을 이해하는 데 도움이 될 거야.

읽기 전 어휘 체크

- 창법
- 음색
- 교류
- 발성
- 합주
- 단련하다
- 인접하다

01 한자를 통해 뜻 추측하기

다음 한자를 보고 각 어휘의 뜻을 추측하시오.

창법	음색	교류	발성	합주
唱 부르다 창 法 방법 법	音 소리 음 色 빛깔 색	交 사귀다 교 流 흐르다 류	發 피다 발 聲 소리 성	合 합하다 합 奏 연주하다 주
①	②	③	④	⑤

ㄱ	ㄴ	ㄷ	ㄹ	ㅁ
노래를 부르는 방법.	문화나 사상 등이 서로 통함.	목소리를 냄. 또는 그 목소리.	악기 또는 사람에 따라 달리 들리는 소리의 감각적 특색.	두 가지 이상의 악기로 동시에 연주함. 또는 그런 연주.

02 문장을 통해 뜻 추측하기

다음 빈칸에 공통으로 들어가기에 알맞은 말을 고르시오.

- 대장장이가 발갛게 달아오른 쇠를 [   ] 있어.

  → 쇠붙이를 불에 달군 후 두드려서 단단하게 한다는 뜻.

- 나는 매일 운동을 하며 몸과 마음을 [   ] 있어.

  → 몸과 마음을 굳세게 한다는 뜻.

- 발표회 때 실수하지 않기 위해 배운 동작을 [   ] 있어.

  → 어떤 일을 반복하여 익숙하게 한다는 뜻.

① 가동하고   ② 단련하고   ③ 처리하고

03 자료를 통해 뜻 추측하기

다음을 보고 '인접하다'의 뜻을 추측하시오.

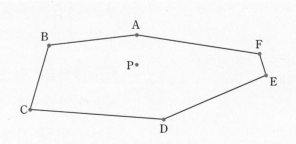

점 A~F 중에서 점 P와 가장 인접한 점은 점 A이다.

① 서로 비슷하다.
② 거리가 멀리 떨어지다.
③ 이웃하여 있다. 또는 옆에 닿아 있다.

지금 배운 어휘들은 이어질 글에 **표시**해 두었어.
어휘의 뜻을 떠올리며 글을 읽어 보자.

13

한국 전통 음악의 특징

이 글을 읽기 전에 먼저
이 글의 독해 포인트 를 확인해 보자!

독해 포인트

1 한국 전통 음악의 특징은 무엇인가?

2 한국 전통 음악은 서양 음악과 어떻게 다른가?

#1문단 각 민족의 전통 음악은 다른 민족의 전통 음악과 구별되는 특징이 있기 마련이다. 한국은 오랜 세월 동안 중국과 **교류**하여 왔기에 한국 전통 음악 역시 중국 음악의 영향을 많이 받았다. 이러한 역사적 사실 때문에 한국 전통 음악은 중국 음악과 거의 비슷하다고 여겨지는 경우가 많다. 하지만 ㉠한국 전통 음악은 ㉡서양 음악은 물론 **인접한** 동양권의 음악과도 구별되는 뚜렷한 특징을 지니고 있다. 그러면 한국 전통 음악의 특징을 ¹선율·장단·발성·**합주**의 네 영역으로 나누어 살펴보자.

#2문단 먼저 한국 전통 음악의 선율을 살펴보면 각 음들의 기능을 최대한 살리는 것이 특징이다. 어떤 음은 ²농현을 해 주고 어떤 음은 위 음에서 아래 음으로 꺾어 내려 주기도 하면서 갖가지 ³시김새를 구사하여 선율을 만드는 것이다. ⁴화성이 발달한 서양 음악에 비해 화성이 발달하지 않았음에도 한국 전통 음악이 풍부한 노래를 구사할 수 있는 비밀은, 한국 전통 음악의 선율과 그것을 부르는 **창법** 덕분이라고 할 수 있다.

#3문단 다음으로, 한국 전통 음악의 장단은 박자의 개념과 함께 빠르기, 강약, 리듬 주기의 개념까지 포함하고 있다. 한국 전통 음악에서 장단은 가장 느린 속도인 진양조부터 가장 빠른 속도인 휘모리에 이르기까지 매우 다양하다. 특히 판소리에서는 장단을 사용하여 극의 분위기나 인물의 심리 등 오페라 못지않은 극적 표현력을 보여 주기도 한다. 또한, 한국 전통 음악의 장단은 강박이 음악의 첫머리에 나온다는 점이 매우 특징적이다. 이는 대개 약박으로 시작하는 서양 음악과 크게 다른 점이다.

어휘 태그

1 **선율** 소리의 높낮이가 길이나 리듬과 어울려 나타나는 음의 흐름.
2 **농현** 국악에서 현악기를 연주할 때에, 왼손으로 줄을 짚고 흔들어서 원래의 음 이외의 여러 가지 꾸밈음을 내는 기법.
3 **시김새** 주요 음의 앞이나 뒤에서 그 음을 꾸며 주는 꾸밈음.
4 **화성** 일정한 법칙에 따른 화음(높이가 다른 둘 이상의 음이 함께 어울리는 소리)의 연결.

#4문단 또 한국 전통 음악의 **발성**을 보면 [5]공명을 최소화하고 소리를 안에서 잡고 있으면서 밀기도 하고 당기기도 하며 재료의 본질을 살려 소리를 낸다. 한국 전통 음악이 공명 못지않게 재료 본연의 자연스러운 소리를 중시하기 때문이다. 그리하여 가야금과 대금을 만들 때에는 오동나무와 대나무를 고르는 데 정성을 쏟고, 판소리 [6]명창은 목을 **단련하는** 데 많은 시간을 쏟는다. 이러한 한국 전통 음악의 발성법은 소리를 공명 위주로 띄우고 둥글게 밖으로 내보내려는 서양의 발성법과는 ⓐ확연히 다르다.

#5문단 마지막으로 한국 전통 음악에서 여러 악기로 합주를 할 때에는 각 악기가 지닌 특성과 시김새를 최대한 살리면서 함께 연주한다는 점이 특징이다. 합주의 선율적인 뼈대는 같다. 그러나 각 악기의 **음색**이 다르고 연주법이 다르기 때문에, 그것들이 어우러지면서 음악을 풍성하게 하고 한국적 음악의 미를 창조해 낸다. 악기들이 다른 악기에 종속되는 것이 아니라 각자의 독립성을 유지하면서도 완성도 있는 음악을 만들어 내는 것이다. 그래서 한국 전통 음악의 합주곡은 합주 자체도 연주곡으로 인정받지만, 그 합주곡의 한두 악기 부분만 떼어 내어 연주해도 독립된 연주곡으로 인정받는다. 합주 자체뿐만 아니라 각 악기의 독립성도 함께 인정받는 것이다.

#문단별
핵심 태그

1문단 한국 **#** ⬜ 음악은 서양 음악이나 인접한 동양권의 음악과 구별되는 특징을 지님

2문단 한국 전통 음악의 특징 ① — **#** ⬜ 은 각 음들의 기능을 최대한 살림

3문단 한국 전통 음악의 특징 ② — **#** ⬜ 은 박자, 빠르기, 강약, 리듬 주기의 개념을 포함함

4문단 한국 전통 음악의 특징 ③ — **#** ⬜ 은 공명을 최소화하고 재료의 본질을 살려 소리를 냄

5문단 한국 전통 음악의 특징 ④ — **#** ⬜ 는 악기가 지닌 특성과 시김새를 최대한 살림

어휘 태그

5 **공명** 물체에 에너지를 가하면 모양과 크기에 따라 일정한 소리를 내는데 이를 고유 진동수라고 한다. 이 고유 진동수가 외부에서 가해진 에너지의 진동수와 같아질 때 물체는 쉽게 진동하고 소리를 내는데 이를 공명이라고 한다. 이렇게 공명을 일으키면 소리가 크게 난다.
6 **명창** 노래를 뛰어나게 잘 부르는 사람.

지문의 난이도는 어땠어?
상 중 하

1 한국 전통 음악의 특징

1 [ ][ ] 각 음들의 기능을 최대한 살려 어떤 음은 농현을, 어떤 음은 시김새를 구사하여 선율을 만듦.

장단 박자와 빠르기, 강약, 리듬 주기까지 포함하는 개념이며, **2** [ ][ ] 이 음악의 첫머리에 나옴.

발성 **3** [ ][ ] 을 최소화하고 소리를 안에서 잡고 있으면서 밀고 당기며 재료의 본질을 살려 소리를 냄.

합주 각 악기가 지닌 특성과 시김새를 최대한 살리면서 함께 연주함.

2 한국 전통 음악과 서양 음악의 비교

한국 전통 음악	서양 음악
(선율) 화성이 발달하지 않았지만, 선율과 창법으로 풍부한 노래를 구사함.	**4** [ ][ ] 이 발달하여 풍부한 노래를 구사함.
(장단) 강박이 음악의 첫머리에 나옴.	약박이 음악의 첫머리에 나옴.
(발성) 공명을 최소화함.	공명 위주로 소리를 냄.

01 이 글에서 설명하고 있는 '한국 전통 음악'의 특징이 나타나는 영역이 <u>아닌</u> 것은?

① 합주 　　② 장단
③ 발성 　　④ 선율
⑤ 독주

독해 포인트 문제

02 '한국 전통 음악'의 특징으로 볼 수 <u>없는</u> 것은?

① 발성할 때 공명을 최소화하여 소리를 낸다.
② 여러 악기가 지닌 특성과 시김새를 최대한 살리면서 합주한다.
③ 장단은 박자와 빠르기, 강약, 리듬 주기까지 포함하는 개념이다.
④ 오랜 세월 동안 중국과 교류하여 중국 음악과 거의 비슷한 특징을 가지고 있다.
⑤ 각 음들의 기능을 최대한 살려 선율을 만들기 위해서 농현과 시김새를 구사한다.

독해 포인트 문제

03 ㉠과 ㉡에 대한 이해로 적절하지 <u>않은</u> 것은?

① ㉠은 합주곡의 한두 악기 부분만 연주해도 독립된 연주곡으로 인정받는다.
② ㉡은 화성이 발달하지 않았지만 선율과 창법을 통해 풍부한 표현력을 보여 준다.
③ ㉠은 ㉡과 달리 강박이 주로 음악의 첫머리에 나온다.
④ ㉠은 ㉡과 달리 재료 본연의 자연스러운 소리를 중시한다.
⑤ ㉡은 ㉠과 달리 소리를 공명 위주로 띄우고 둥글게 밖으로 내보낸다.

04 이 글을 읽고 난 반응으로 가장 적절한 것은?

① 한국 전통 음악은 가까운 동양권의 음악과 매우 유사하겠군.

② 한국 전통 음악에서 사용되는 박자는 서양 음악보다 단조롭겠군.

③ 한국 전통 음악에서는 악기보다는 목소리를 더 중요하게 생각하겠군.

④ 풍부한 표현력을 보여 주는 노래를 들으려면 서양 음악을 들어야겠군.

⑤ 한국 전통 악기는 음색과 연주법이 서로 달라도 선율이 같으면 조화를 이루겠군.

05 보기 는 민요 「새야 새야」를 학습하기 위한 자료이다. 선생님의 설명 중 빈칸에 들어갈 알맞은 말을 이 글에서 찾아 쓰시오.

> 보기
>
> **[학습 목표]**
>
> 　우리나라 전통 음악은 가사나 곡조가 일정하게 하나만 존재하는 것이 아니라 때와 장소에 따라, 개인의 취향에 따라 얼마든지 다양하게 부를 수 있다는 것을 알 수 있다.
>
> **[학습 방법]**
>
> 　'새야 새야 파랑새야' 부분을 다음과 같이 다양한 방법으로 연습한다. '새야 새야'를 '새애 애 야 새애애 야'로 해도 되고 '새애애 야 새 야 아아'로 해도 된다.

선생님: 보기 는 음을 흔들거나 꺾어 내리면서 꾸밈음인 [_____]을/를 넣는 방법을 설명하고 있어요.

06 ⓐ와 바꾸어 쓸 수 있는 말로 가장 적절한 것은?

① 명확하게
② 흐릿하게
③ 애매하게
④ 희미하게
⑤ 모호하게

> 완벽 마스터 문제

07 다음 질문 중 이 글에서 답을 찾을 수 <u>없는</u> 것은?

① 한국 전통 음악에서 소리는 어떻게 내는가?

> 4문단에서 한국 전통 음악의 [❶ 　　　]은 소리를 안에서 밀고 당기며 재료의 본질을 살려 소리를 낸다고 하였다.

② 한국 전통 악기의 종류는 어떻게 분류하는가?

> 한국 전통 악기의 종류에 대한 설명은 없고, 4문단에서 가야금, 대금을 만드는 나무의 종류만 설명되어 있다.

③ 한국 전통 음악에서 가장 느린 장단은 무엇인가?

> 3문단에서 한국 전통 음악의 장단은 속도가 가장 느린 [❷ 　　　]부터 가장 빠른 휘모리까지 다양하다고 하였다.

④ 극적 표현력을 볼 수 있는 한국 전통 음악은 무엇인가?

> 3문단에서 [❸ 　　　]는 장단을 사용해 서양의 오페라 못지않은 극적 표현력을 보여 준다고 하였다.

⑤ 판소리 명창이 목을 단련하기 위해 노력하는 이유는 무엇인가?

> 4문단에서 한국 전통 음악은 본연의 자연스러운 소리를 중시하기 때문에 판소리 명창이 목을 단련하는 데 많은 시간을 쏟는다고 하였다.

7문제 중에
_____ 문제 맞혔어!

14 새로운 예술, 아르 누보

이번에 읽을 글은 아르 누보라는 미술 양식의 의미와 그 특징을 설명하고 있어.
글을 읽기 전에 어휘를 미리 알아 두면 글을 이해하는 데 도움이 될 거야.

읽기 전 어휘 체크

○ 상충

○ 본연

○ 성찰

○ 타개

○ 수작업

○ 진보

○ 산업화

01 한자를 통해 뜻 추측하기

다음 한자를 보고 각 어휘의 뜻을 추측하시오.

상충	본연	성찰	타개	수작업
相 서로 상 衝 부딪치다 충	本 근본 본 然 그러하다 연	省 살피다 성 察 살피다 찰	打 치다 타 開 열다 개	手 손 수 作 만들다 작 業 일 업
①	②	③	④	⑤

ㄱ	ㄴ	ㄷ	ㄹ	ㅁ
본디 생긴 그대로의 타고난 상태.	맞지 아니하고 서로 어긋남.	저지른 일이나 자기의 마음을 반성하고 살핌.	손으로 직접 일을 함. 또는 그런 일.	매우 어렵거나 막힌 일을 잘 처리하여 해결의 길을 엶.

02 문장을 통해 뜻 추측하기

다음 문장에 공통으로 쓰인 '진보'의 뜻을 추측하시오.

- 의학의 진보로 인간의 수명이 크게 늘어났다.
- 그 과학자의 발명은 인류의 진보에 결정적인 역할을 했다.
- 인공 지능은 빠르게 진보되어 일상생활에서 다양하게 활용되고 있다.

① 참된 값어치.
② 정도나 수준이 나아지거나 높아짐.
③ 어떤 방면으로 활동 범위나 세력을 넓혀 나아감.

03 자료를 통해 뜻 추측하기

다음을 보고 '산업화'의 뜻을 추측하시오.

과거에는 사람이 베틀로 천을 짰지만, 산업화가 이루어지면서 기계가 사람을 대신하게 되었다.

① 어떠한 일을 하기 이전의 상태가 됨.
② 바뀌어 달라지지 않고 일정한 상태를 유지해 감.
③ 기술의 발달로 생산 활동이 기계화·분업화되면서 전체 산업에서 공업의 비중이 높아지는 현상.

지금 배운 어휘들은 이어질 글에 표시해 두었어.
어휘의 뜻을 떠올리며 글을 읽어 보자.

14

새로운 예술, 아르 누보

이 글을 읽기 전에 먼저
이 글의 독해 포인트 를 확인해 보자!

독해 포인트

1 아르 누보의 개념과 예술사적
의의는 무엇인가?

2 아르 누보의 양식적 특징은
무엇인가?

#가 예술에서 '과학의 **진보**'와 '인간의 정서'라는 두 문제의 **상충**은 끊임없이 [1]대두되었다. 18세기에 일어난 산업 혁명으로 과학과 기술의 편리성이 강조되면서 인간 **본연**의 감성이 [2]위축되었고, 이에 대한 예술가들의 **성찰**과 저항 역시 끊임없이 이루어져 왔다.

#나 프랑스어로 새로운 예술이라는 뜻의 '아르 누보(art nouveau)'도 이러한 움직임에서 비롯되었다. 아르 누보는 19세기 중반 영국에서 시작된 미술 공예 운동을 기반으로 한다. 당시 산업 혁명의 영향으로 대량 생산된 ㉠값싼 공예품들이 대중의 관심을 얻으면서, 예술은 대중의 관심에서 멀어지고 예술가들의 창작 환경도 위축되었다. 이러한 사회적 분위기를 **타개**하고자 시작된 예술가들의 성찰이 확산되면서 일정한 예술적 경향이 생겨났고, 이러한 경향은 '아르 누보' 양식으로 발전하게 되었다.

#다 산업 혁명에 대한 비판적인 시각에서 비롯된 아르 누보는 기계를 부정하고 **수작업**을 통해 예술의 독자적인 가치를 구현하고자 했다. 그리고 예술 환경을 위축시켰던 물질주의를 극복하는 방법을 자연에서 찾았다. 아르 누보는 기계를 연상시키는 직선을 피하고, 식물의 잎이나 줄기 형태처럼 [3]유려한 곡선을 과감하게 사용하였다. 또한 화려하게 장식된 꽃무늬나 파도, 불꽃, 동물 등 유동적 이미지를 주는 소재를 활용하여 자연에서 느낄 수 있는 생동감을 구현하였다. 아르 누보는 **산업화**에 [4]반발하여 신비주의적인 상상과 공상의 세계를 추구한 상징주의의 영향을 받기도 했다. 그리하여 '사물을 통해 다른 무언가를 보기'를 원했던 상징주의의 암시적인 작품 경향이 아르 누보에 나타나기도 하였다.

어휘 태그

1 대두되었다 어떤 세력이나 현상이 새롭게 나타나게 되었다.
2 위축되었고 어떤 힘에 눌려 졸아들고 기를 펴지 못하게 되었고.
3 유려한 글이나 말, 곡선 등이 거침없이 미끈하고 아름다운.
4 반발하여 어떤 상태나 행동에 대하여 거스르고 반항하여.

#라 아르 누보 양식은 사람들이 산업화의 [5]폐해에 눈을 뜨기 시작하면서 세계 각지에서 [6]호응을 얻었고, 건축, 회화, 패션 등 예술 전반으로 확산되었다. 아르 누보 양식이 가장 민감하고 직접

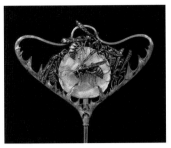

▲ 르네 랄리크, 「말벌」

적으로 반영된 분야는 공예 분야이다. 1900년 파리 만국 박람회에서 선보인 르네 랄리크의 「말벌」은 공예에 반영된 아르 누보의 양식적 특징을 [7]단적으로 보여 준다. 파도를 연상시키는 테두리에 알을 연상시키는 보석을 중앙에 배치했고, 그 보석을 중심으로 돌고 있는 말벌들을 생동감 있게 표현하였다. 기계로는 표현하기 어려운 자연의 이미지를 섬세한 수작업을 통해 구현하여 대중의 관심을 끈 작품으로, 아르 누보가 추구하는 정신과 양식적 특징을 잘 반영한 것으로 평가받고 있다.

#마 아르 누보는 산업화라는 대량 생산 시대에 예술이 가야 할 길을 모색하려는 예술가들의 성찰이 자연에 대한 관심으로 표출된 예술 양식이다. 비록 20세기 초반에 [8]쇠퇴의 길을 걸었지만, 아르 누보가 예술사에 미친 영향은 크다고 볼 수 있다. 기술 진보가 인간의 삶에 미치는 부정적인 영향을 경계하고, 그러한 성찰을 중시하는 오늘날의 예술적 환경이 바로 아르 누보에 의해 시작되었다는 점에서 말이다.

#문단별 핵심 태그

가 # _____ 혁명으로 인간의 감성이 위축되는 것에 대한 예술가들의 성찰과 저항

나 19세기 중반 영국에서 시작된 # _____ 공예 운동이 발전한 아르 누보 양식

다 아르 누보 양식의 특징 ─ # _____ , 자연의 곡선과 생동감 구현, 상징주의 작품 경향

라 예술 전반으로 확산되고 특히 # _____ 분야에 직접적으로 반영된 아르 누보 양식

마 # _____ 진보의 부정적 영향을 경계하고 성찰하는 예술적 환경을 만든 아르 누보

89

어휘 태그

5 **폐해** 어떤 일이나 행동에서 나타나는 좋지 않은 경향이나 해로운 현상으로 생기는 손상.
6 **호응** 부름에 응답한다는 뜻으로, 부름이나 호소에 대답하거나 응함.
7 **단적** 곧바르고 명백한 것.
8 **쇠퇴** 기세나 상태가 쇠하여 전보다 못하여 감.

지문의 난이도는 어땠어? 상 중 하

확인하기

1 아르 누보의 개념과 예술사적 의의

개념
- '새로운 **1**〔　〕〔　〕'이라는 뜻
- 산업화 시대에 예술이 가야 할 방향을 모색하던 예술가들의 성찰이 자연에 대한 관심으로 표출된 예술 양식

형성 배경
19세기 중반 영국에서 시작된 미술 공예 운동이 일정한 예술적 경향을 띠면서 아르 누보 양식으로 발전함.

예술사적 의의
2〔　〕〔　〕의 진보가 가져오는 부정적 영향을 경계하고 성찰하는 오늘날의 예술적 환경이 아르 누보에서 시작됨.

2 아르 누보의 양식적 특징

특징

- **3**〔　〕〔　〕를 부정하고 수작업을 통해 예술의 독자적 가치를 구현하고자 함.

- 산업화에 반발하여 상상과 공상의 세계를 추구한 상징주의의 영향을 받음.

- 물질주의를 극복하기 위해 자연의 유려한 **4**〔　〕〔　〕과 유동적 이미지를 활용함.

---

01 다음에서 설명하는 대상을 이 글에서 찾아 두 단어로 쓰시오.

- '새로운 예술'을 뜻하는 프랑스어
- 기술 진보가 인간의 삶에 미치는 부정적인 영향을 경계하는 오늘날의 예술적 환경의 토대를 만든 예술 양식

독해 포인트 문제

02 '아르 누보'에 대한 설명으로 가장 적절한 것은?

① 대중보다는 소수를 위한 예술 양식이다.
② 예술 작품을 대량으로 생산하는 방식이다.
③ 19세기 중반 이후부터 오늘날까지 유행하고 있다.
④ 산업 혁명으로 생겨난 기계 문명을 긍정적으로 바라본다.
⑤ 과학 기술의 진보로 변화된 예술 환경에 대한 예술가들의 성찰에서 비롯되었다.

03 각 문단의 중심 내용으로 적절하지 않은 것은?

① **#가** : 아르 누보 이전의 예술 양식
② **#나** : 아르 누보의 형성 과정
③ **#다** : 아르 누보의 양식적 특징
④ **#라** : 아르 누보 양식이 반영된 예술 분야
⑤ **#마** : 아르 누보가 예술사에 미친 영향

독해 포인트 문제

04 다음 중 '아르 누보 양식'에 대한 이해로 적절하지 않은 것은?

① 위축된 예술 환경을 다시 살리기 위해 물질주의를 내세웠다.

② 기계를 연상시키는 직선보다는 유려한 곡선을 주로 사용하였다.

③ 예술의 독자적인 가치를 구현하기 위해 수작업으로 작품을 만들었다.

④ 자연에서 유동적 이미지를 주는 소재를 활용해 생동감을 구현하였다.

⑤ 신비주의적인 상상과 공상의 세계를 추구한 상징주의에 영향을 받았다.

05 이 글로 보아 다음 작품에 대한 감상으로 적절하지 않은 것은?

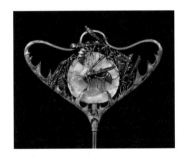

▲ 르네 랄리크, 「말벌」

① 섬세한 표현을 위해서는 기계를 사용할 수밖에 없었겠군.

② 아르 누보의 여러 분야 중에서 공예 분야를 대표하는 작품이겠군.

③ 작품의 테두리는 파도를, 중앙에 배치된 보석은 알을 연상시키는군.

④ 보석 주위를 돌고 있는 말벌의 동적인 움직임에서 생동감이 느껴지는군.

⑤ 전체적으로 보석으로 화려하게 장식된 데다, 테두리에는 유려한 곡선이 사용되었군.

06 보기를 참조할 때, ㉠과 가장 유사한 것은?

보기

값싸다 ➡ 값이 싸다.

'값싸다.'는 '값이 싸다.'처럼 '무엇이 어떠하다.'라는 구성으로 풀어 쓸 수 있다.

① 손쉽다.　　② 본받다.

③ 뛰놀다.　　④ 낯설다.

⑤ 혼내다.

완벽 마스터 문제

07 이 글에 대한 설명으로 적절하지 않은 것은?

① 아르 누보의 어원을 설명하고 있다.

(나)에서 '아르 누보'가 프랑스어로 '[❶　　　　] 예술'이라는 뜻이라고 설명하고 있다.

② 아르 누보의 등장 배경을 소개하고 있다.

(가), (나)에서 19세기 영국의 미술 공예 운동을 거쳐 아르 누보 양식이 등장하게 된 배경을 소개하고 있다.

③ 아르 누보가 반영된 분야를 제시하고 있다.

(라)를 통해 아르 누보가 건축, [❷　　　　], 패션, 공예 분야 등에 반영되었음을 알 수 있다.

④ 아르 누보가 지향하는 방향을 설명하고 있다.

(다)에서 아르 누보가 추구한 예술적 경향이 무엇인지 확인할 수 있다.

⑤ 아르 누보가 쇠퇴하게 된 이유를 시대 상황과 연관 짓고 있다.

(마)에서 아르 누보가 20세기에 쇠퇴했다는 것은 알 수 있지만, 그 이유는 제시되어 있지 않다.

7문제 중에

　　　　문제 맞혔어!

15 가장 창의적인 건축가, 가우디

이번에 읽을 글은 가우디가 창작한 건축물의 특징을 설명하고 있어.
글을 읽기 전에 어휘를 미리 알아 두면 글을 이해하는 데 도움이 될 거야.

01 한자를 통해 뜻 추측하기

다음 한자를 보고 각 어휘의 뜻을 추측하시오.

창의력	활기	채광	입증	첨탑
創 비롯하다 창 意 생각 의 力 힘 력	活 살다 활 氣 기운 기	採 수집하다 채 光 빛 광	立 세우다 입 證 증거 증	尖 뾰족하다 첨 塔 탑 탑
①	②	③	④	⑤

ㄱ	ㄴ	ㄷ	ㄹ	ㅁ
창문을 내어 햇빛을 비롯한 광선을 받아 들임.	증거를 내세워 어떤 사항이나 판단 등이 진실인지 아닌지 밝힘.	뾰족한 탑.	새로운 것을 생각해 내는 능력.	활동력이 있거나 활발한 기운.

02 문장을 통해 뜻 추측하기

다음 문장에 공통으로 쓰인 '개조하다'의 뜻을 추측하시오.

- 아버지께서 오래된 승합차를 개조하여 캠핑카를 만드셨다.
- 그는 허름한 주택을 사서 개조한 뒤 작은 한식당을 차렸다.
- ○○ 전시관은 폐교된 초등학교를 개조하여 새롭게 문을 연 곳이다.

① 고쳐 만들거나 바꾸다.
② 공장에서 큰 규모로 물건을 만들다.
③ 고장 나거나 허름한 데를 손보아 고치다.

03 사전에서 뜻 찾기

다음 국어사전을 보고 밑줄 친 '환기'의 뜻으로 알맞은 것의 기호를 고르시오.

국어사전

- ㉠ 환기¹
  주의나 여론, 생각을 불러일으킴.

- ㉡ 환기²
  탁한 공기를 맑은 공기로 바꿈.

(1) 다락방은 환기가 제대로 되지 않아서 늘 퀴퀴한 냄새가 났다. (   )

(2) 학교에서는 미세 먼지 문제에 대한 환기를 위해 백일장을 개최하였다. (   )

지금 배운 어휘들은 이어질 글에 **표시**해 두었어.
어휘의 뜻을 떠올리며 글을 읽어 보자.

15

가장 창의적인 건축가, 가우디

이 글을 읽기 전에 먼저
이 글의 독해 포인트 를 확인해 보자!

독해 포인트

1 가우디가 만든 건축물에
   드러나는 특징은 무엇인가?

2 가우디가 「카사 밀라」를 지을 때
   어떤 문제가 있었는가?

#1문단 안토니오 가우디는 20세기가 낳은 가장 독특하고 천재적인 건축가로 평가받는다. 그는 기존 건축의 흐름에 얽매이지 않고 개성 넘치는 **창의력**으로 [1]유일무이한 건축물을 만들어 냈다. 밀가루로 반죽한 듯한 구불구불한 외형이라든가 척추동물의 몸속에 들어온 듯한 실내를 상상해 본 적이 있는가? 이처럼 사람들에게 ⓐ강렬한 인상을 남기는 가우디의 건축물들이 바르셀로나에 많이 남아 있다.

#2문단 「카사 밀라」는 가우디의 대표작으로, 요즘의 고급 빌라에 해당하는 공동 주택이다. 가우디가 살던 당시 바르셀로나는 도시 환경을 **개조하기** 위해 도시 전체를 정사각형 모양의 주거 블록들로 채우기로 하였다. 그리고 **채광**과 **환기**를 위해 건물의 높이를 6층 이하로 제한하였는데, 블록 모퉁이의 집만은 햇빛과 바람이 잘 들지 않았다. 밀라 부부는 가우디에게 블록 모퉁이에 공동 주택 건축을 ⓑ의뢰하였다. 가우디는 채광과 환기 문제를 해결하기 위해 우선 지붕을 햇빛 방향에 따라 비스듬하게 설계했다. 그리고 옥상 난간을 반투명한 철망으로 만들어 집 안으로 햇빛과 바람이 최대로 들어올 수 있게 했다. 또한 두 개의 커다란 [2]중정을 만들어 건물 안 구석구석으로 환한 빛이 들어오도록 하였다.

#3문단 위치에서 비롯된 문제를 해결한 가우디는 수천 개의 돌을 깎아 부드러운 곡선으로 이어 붙여, 파도가 일렁이는 듯한 외벽을 완성하였다. 수직과 수평에 근거한 고전 건축의 ⓒ엄격함을 벗어던지고, 자유로운 형태로 건물을 설계함으로써 역동감과 **활기**가 느껴지도록 한 것이다. 이외에도 중세 기사들의 투구처럼 생긴 굴뚝, 타일로 장식된 지붕, 마치 동굴 같은 입구 등은 「카사 밀라」의 독창성을 **입증**한다.

─── 어휘 태그 ───

1 **유일무이** 오직 하나뿐이고 둘도 없음.
2 **중정** 집 안의 건물과 건물 사이에 있는 마당.

▲ 「카사 밀라」의 옥상

▲ 「카사 밀라」의 외벽

#4문단 가우디는 '자연은 나의 스승이다.'라는 그의 말처럼 자연을 바탕에 두고 건축물을 설계하였다. 자연의 ⓓ유려한 곡선을 건축물의 외형으로 가져오고 완성된 건축물이 자연과 어우러지도록 설계하였다. 가우디가 조성한 「구엘 공원」에 가면 형형색색의 타일로 장식한 조각상, 돌을 야자나무 모양으로 쌓아 만든 기둥, 광장을 감싸며 길게 이어지는 물결 모양의 벤치 등 자연물을 원형으로 한 건축물의 아름다움을 느낄 수 있다.

#5문단 현재까지도 공사 중인 「사그라다 파밀리아」 대성당의 **첨탑**에는 현수선의 원리가 적용되었다. '현수선'은 양 끝이 고정되어 있는 끈이 중력에 의해 자연스럽게 이루는 곡선을 가리킨다. 가우디는 현수선의 원리를 ⓔ역방향으로 적

▲ 「사그라다 파밀리아」 대성당의 첨탑

용하여 대성당의 첨탑을 현수선을 뒤집어 놓은 형태로 설계하였고, 이러한 구조를 통해 건물의 무게를 안정적으로 나눌 수 있게 하였다. 실제 끈으로 현수선을 만든 후 성당 사진을 거꾸로 들고 맞추어 보면 두 곡선이 일치하는 것을 확인할 수 있다. 이처럼 가우디의 창의성과 기술력이 ³응집된 「사그라다 파밀리아」 대성당은 마치 신이 빚어 놓은 작품을 감상하는 느낌이 들 정도이다. 20세기의 ⟨ ㉠ ⟩, 가우디의 작품을 찾아 감상해 보는 것은 어떨까?

ⓐ 어휘 태그

3 **응집된** 한군데에 엉겨서 뭉친.

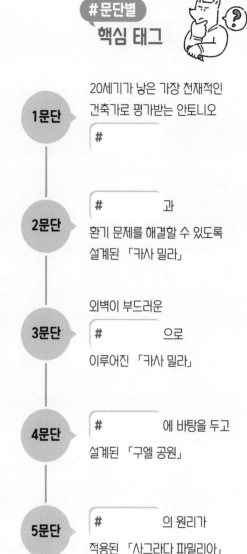

#문단별
핵심 태그

1문단
20세기가 낳은 가장 천재적인 건축가로 평가받는 안토니오
#

2문단
　　과
환기 문제를 해결할 수 있도록 설계된 「카사 밀라」

3문단
외벽이 부드러운
　　으로
이루어진 「카사 밀라」

4문단
　　에 바탕을 두고
설계된 「구엘 공원」

5문단
　　의 원리가
적용된 「사그라다 파밀리아」

지문의 난이도는 어땠어?
상 중 하

확인하기

1 가우디가 만든 건축물과 그 특징

카사 밀라	• 수천 개의 돌을 깎아 파도가 일렁이는 듯한 외벽을 완성함. • 자유로운 형태로 건물을 설계함으로써 역동감과 활기가 느껴짐.
1 ☐ ☐ 공원	• 자연의 유려한 곡선을 건축물의 외형으로 가져옴. • 완성된 건축물이 자연과 어우러지도록 설계함.
사그라다 파밀리아	• 대성당의 **2** ☐ ☐ 에 현수선의 원리를 역방향으로 적용함. • 창의성과 기술력이 응집되어 신이 빚어 놓은 작품처럼 보임.

2 「카사 밀라」를 지을 때 문제점과 그 해결책

문제점

정사각형 모양의 주거 블록 모퉁이에 위치하여 채광과 환기가 잘 안 됨.

↓

가우디의 해결책

• **3** ☐ ☐ 을 햇빛 방향에 따라 비스듬하게 설계함.
• 옥상 난간을 반투명한 철망으로 만듦.
• 두 개의 커다란 중정을 만듦.

---

01 이 글로 보아 다음 빈칸에 들어갈 내용으로 가장 적절한 것은?

> 바르셀로나는
> ☐☐☐☐☐☐☐☐☐이다.

① 가우디가 정부와 함께 재건축한 도시
② 가우디의 창의력을 보여 주는 예술 도시
③ 고전 건축과 현대 건축이 어우러진 도시
④ 가우디의 영향을 받은 건축가들이 설계한 도시
⑤ 인공적인 건축물이 거의 없는 자연과 하나된 도시

02 이 글에서 얻을 수 있는 정보가 <u>아닌</u> 것은?

① 가우디에 대한 일반적인 평가
② 가우디가 설계한 건축물의 이름
③ 가우디가 설계한 건축물의 특징
④ 가우디가 지은 건축물이 있는 곳
⑤ 가우디가 설계한 건축물의 장단점

03 @∼ⓔ를 넣어 짧은 글짓기를 하였다. 그 쓰임으로 적절하지 <u>않은</u> 것은?

① @: 그는 <u>강렬한</u> 인상을 가지고 있었다.
② ⓑ: 유명한 의사에게 진료를 <u>의뢰하였다</u>.
③ ⓒ: 담임 선생님은 우리에게 <u>엄격함</u>과 부드러움을 모두 보여 주셨다.
④ ⓓ: 그 조각품은 <u>유려한</u> 직선을 활용하여 날카롭게 만들어졌다.
⑤ ⓔ: 기차를 <u>역방향</u>으로 타면 멀미가 나기 쉽다.

독해 포인트 문제

04 다음은 가우디가 설계한 건축물이다. 그 설명으로 적절하지 <u>않은</u> 것은?

카사 밀라	구엘 공원	사그라다 파밀리아
고급 빌라	공원	성당
① 수직과 수평을 중심으로 건물이 설계됨.	② 자연물을 원형으로 만든 기둥과 벤치 등이 있음.	③ 대성당 첨탑에는 현수선의 원리가 쓰임.

④ 생기 있고 활기가 느껴지도록 디자인됨.
⑤ 대부분 직선이 없고 곡선으로 이루어져 있음.

독해 포인트 문제

05 다음 건축물에 대한 설명으로 적절하지 <u>않은</u> 것은?

▲ 「카사 밀라」

① 주거를 목적으로 지은 집이다.
② 건물의 높이가 6층 이하로 제한되어 있다.
③ 옥상의 난간은 반투명한 철망으로 만들었다.
④ 외벽은 수천 개의 돌을 깎아 곡선 형태로 만들었다.
⑤ 지붕이 비스듬하여 햇빛과 바람이 거의 들지 않는다.

06 ㉠에 들어갈 말로 적절하지 <u>않은</u> 것은?

① 천재 건축가　　　② 고전 건축가
③ 뛰어난 건축가　　④ 개성적인 건축가
⑤ 자유로운 건축가

완벽 마스터 문제

07 이 글의 내용으로 알 수 <u>없는</u> 것은?

① 가우디는 자연을 스승으로 여겼다.

　4문단에 '[❶　　　　]은 나의 스승이다.'라고 한 가우디의 말이 인용되어 있다.

② 가우디의 건축물은 매우 독창적이다.

　이 글은 가우디의 「카사 밀라」, 「구엘 공원」, 「사그라다 파밀리아」에 나타난 독창성에 대해 설명하고 있다.

③ 가우디는 건물의 안전성을 가장 중요시했다.

　1~5문단에서는 가우디의 건축물에서 느낄 수 있는 예술성과 창의성을 중점적으로 다루고 있다.

④ 「사그라다 파밀리아」는 아직 완성되지 않았다.

　5문단에서 「사그라다 파밀리아」는 현재까지도 공사 중이라고 하였다.

⑤ 바르셀로나는 정사각형의 주거 블록으로 이루어져 있다.

　2문단에 따르면 바르셀로나는 도시 환경을 개조하기 위해 도시 전체를 정사각형 모양의 [❷　　　　]으로 채우기로 했다고 하였다.

7문제 중에

＿＿＿＿＿문제 맞혔어!

16

함께 나아가야 할 과학과 철학

이번에 읽을 글은 과학과 철학의 관계가 어떤 방향으로 이루어져야 할지 살펴보고 있어.
글을 읽기 전에 어휘를 미리 알아 두면 글을 이해하는 데 도움이 될 거야.

읽기 전
어휘 체크

- 별개
- 보완
- 지칭
- 중시
- 사유
- 비약적

01 한자를 통해 뜻 추측하기

다음 한자를 보고 각 어휘의 뜻을 추측하시오.

별개	보완	지칭	중시
別 다르다 　별 個 낱낱 　개	補 보태다 　보 完 완전하게 　　하다 　완	指 가리키다 　지 稱 일컫다 　칭	重 무겁다 　중 視 보다, 　　여기다 　시
①	②	③	④

ㄱ	ㄴ	ㄷ	ㄹ
관련성이 없이 서로 다름.	모자라거나 부족한 것을 보충하여 완전하게 함.	가볍게 여길 수 없을 만큼 매우 크고 중요하게 여김.	어떤 대상을 가리켜 이르는 일. 또는 그런 이름.

02 문장을 통해 뜻 추측하기

다음 문장에 쓰인 '사유'의 뜻을 각각 추측하시오.

(1) 어떠한 사유로 학교에 늦게 왔느냐? •

• ㉠ 일의 까닭.

(2) 이 땅은 사유 재산이므로 함부로 들어가서는 안 된다. •

• ㉡ 개인이 사사로이 가짐. 또는 그런 소유물.

(3) 다양한 책을 읽어서 사유의 폭을 넓혀야 한다. •

• ㉢ 개념, 구성, 판단, 추리를 행하는 인간의 이성 작용.

03 자료를 통해 뜻 추측하기

다음을 보고 '비약적'의 뜻을 추측하시오.

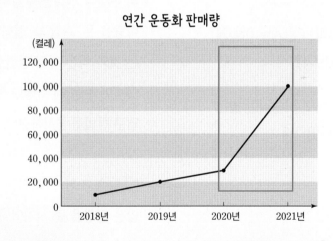

연간 운동화 판매량

2020년에서 2021년 사이에 운동화 판매량이 비약적으로 증가했다.

① 대강의 줄거리로 이루어진 것.
② 모든 것에 두루 미치거나 통하는 것.
③ 지위나 수준이 갑자기 빠른 속도로 높아지거나 향상되는 것.

지금 배운 어휘들은 이어질 글에 **표시**해 두었어.
어휘의 뜻을 떠올리며 글을 읽어 보자.

16
함께 나아가야 할 과학과 철학

이 글을 읽기 전에 먼저
이 글의 독해 포인트 를 확인해 보자!

독해 포인트

1 과학과 철학의 관계는 어떻게 변화해 왔는가?

2 과학과 철학의 바람직한 발전 방향은 무엇인가?

#1문단 오늘날의 과학은 과학만의 뚜렷한 특성을 갖고 있는 학문이다. 그러나 고대의 과학은 철학의 한 분야였다. 오늘날 우리가 과학자라고 부를 법한 사람들이 당시에는 자신을 '자연 철학자'라고 **지칭**한 까닭도 여기에 있다. 고대 과학에서는 주로 ¹논리적 ²추리 과정을 통해서 자연의 ³물질세계를 연구하였다. 그 당시 사용된 연구 방법의 대표적인 예로 아리스토텔레스의 논리학을 들 수 있다. ㉠아리스토텔레스는 ⁴삼단 논법과 같은, 오로지 사유를 통한 논리적 추리 방법으로 자연을 연구하였다.

#2문단 과학이 오늘날 우리가 알고 있는 모습이 된 것은 17세기에 이르러서이다. ㉡프랜시스 베이컨은 객관적인 근거가 없는 아리스토텔레스의 논리적 추리에 문제가 있다며 지식을 얻을 수 있는 새로운 과학적 방법을 제시하였다. 그는 열, 무게, 빛 등 사물의 본질과 그것을 구성하는 자연의 법칙을 연구하기 위해 경험에 바탕을 둔 '관찰'과 '실험'이라는 방법을 사용하였다. 베이컨은 어는 것과 썩는 것의 관련성을 알아내기 위해서 추운 날 직접 닭의 뱃속에 눈을 채워 넣다가 폐렴에 걸려 사망했을 정도로 경험적인 연구 방법을 **중시**하였다.

#3문단 또한 17세기는 기술이 과학의 영역으로 들어와 과학에 많은 영향을 준 시기였다. 과학자들은 기술자들이 사용하던 실험이나 측정 방법을 사용하여 자연을 탐구하게 되었다. 예를 들어 천체 망원경, 현미경, 온도계 등을 사용해 이전에 볼 수 없었던 것을 관찰하고, 이전보다 훨씬 더 정확한 값을 측정할 수 있었다.

어휘 태그

1 **논리적** 말이나 글에서 사고나 추리를 앞뒤가 들어맞고 짜임새에 맞게 이끌어 가는 것.
2 **추리** 어떠한 판단을 근거로 삼아 다른 판단을 이끌어 냄.
3 **물질세계** 인간의 의식 밖에 객관적으로 존재하는 사물 현상을 통틀어 이르는 말.
4 **삼단 논법** 결론의 기초가 되는 대전제와 소전제의 두 전제 및 하나의 결론으로 이루어진 추리법. 예 새는 동물이다. 닭은 새이다. 따라서 닭은 동물이다.

이러한 기계의 발명과 기술의 도입은 관찰과 실험을 중시하는 과학의 흐름을 [5]견고하게 만들었다. 이러한 이유로 과학사를 연구하는 학자들은 17세기가 과학이 철학으로부터 완전히 떨어져 나온 시기로 본다. 그리고 이 시기에 이루어진 과학의 **비약적**인 발전을 '과학 혁명'이라고 부른다.

#4문단 사유보다 경험을 중시하는 이러한 흐름이 지속되면서 사람들은 점점 관찰과 실험을 통해 과학적 진리를 밝혀낼 수 있다고 생각하게 되었다. 심지어 모든 문제를 과학으로만 해결할 수 있다고 믿는 과학만능주의까지 등장하게 되었다. 이에 따라 근현대의 과학은 철학과는 아무런 연관성이 없는 **별개**의 개념으로 여겨지고, 한쪽은 경험적인 것, 한쪽은 [6]사변적인 것으로 딱 잘라 구분되기까지 한다. 그런데 과학에는 정말로 철학이 필요 없을까?

#5문단 경험을 통해 과학적 진리를 찾아내는 것은 인간이다. 그런데 인간은 감정이나 가치관, 사회적 처지에 비추어 경험을 판단하기 때문에, 같은 현상도 관찰하는 사람에 따라 다르게 해석할 수 있다. 따라서 경험만으로 과학적 진리를 발견할 수 있다는 생각은 위험하다. 또 철학은 과학의 윤리적인 측면도 **보완**할 수 있다. 철학에서 제시하는 생명 윤리, 연구 방법에 대한 윤리를 통해 인간에게 이로운 방향으로 과학이 발전하도록 도울 수 있다. 이처럼 경험을 바탕으로 한 철학은 과학과 [7]상호 보완적인 역할을 한다. 따라서 과학과 철학을 별개의 것으로 보지 말고 과학과 철학의 조화를 추구해야 할 것이다.

#문단별 핵심 태그

1문단 고대 과학 – 과학은 # 의 한 분야였음

2문단 철학과 분리된 17세기의 과학 ① – 경험적 연구 방법인 관찰과 # 의 등장

3문단 철학과 분리된 17세기의 과학 ② – # 의 도입으로 비약적 발전을 이룸

4문단 근현대 과학 – 과학은 # , 철학은 사변적이라며 별개로 여김

5문단 과학과 철학의 바람직한 발전 방향 – 과학과 철학의 # 추구 필요

어휘 태그

5 **견고하게** 사상이나 의지 등이 동요됨이 없이 확고하게.
6 **사변적** 경험에 의하지 않고 인간의 순수한 사고 능력을 바탕으로 인식하고 설명하는 것.
7 **상호 보완적** 서로 모자란 부분을 보충하는 관계에 있는. 또는 그런 것.

1 과학과 철학의 관계 변화

고대	과학 철학
	과학은 철학의 한 분야로, 자연 철학자들은 **1**　　　를 통한 논리적 추리 방법으로 자연을 연구함.

↓

17세기	과학 철학
	2　　　과 실험이라는 경험적 연구 방법이 등장하고, 기계와 기술의 도입으로 과학과 철학이 분리됨.

↓

근현대	과학 철학
	경험적 성격의 과학과 사변적 성격의 철학으로 별개의 개념이 됨.

2 과학과 철학의 바람직한 발전 방향

과학과 철학의 상호 보완적 관계

- 같은 현상도 **3**　　　하는 사람에 따라 다르게 해석할 수 있으므로, 경험만으로 과학적 진리를 발견할 수 있다는 생각은 위험함.
- 철학은 과학의 윤리적인 측면을 보완하여, 과학이 인간에게 이로운 방향으로 발전하도록 도움.

↓

과학과 철학의 **4**　　　를 추구해야 함.

01 고대의 과학에 대한 이해로 적절하지 <u>않은</u> 것은?

① 철학에 포함되는 학문이었다.
② 주로 자연의 물질세계를 연구하였다.
③ 논리적 추리 방법을 통해 과학을 연구하였다.
④ 모든 문제를 과학으로 해결할 수 있다고 여겼다.
⑤ 오늘날 과학자에 해당하는 사람이 철학자로 불렸다.

독해 포인트 문제

02 17세기에 과학과 철학이 분리된 원인을 보기에서 골라 바르게 묶은 것은?

보기
　ㄱ. 과학만능주의의 등장
　ㄴ. 경험적 연구 방법의 등장
　ㄷ. 생명 윤리의 중요성 대두
　ㄹ. 천체 망원경, 현미경, 온도계 등 기계의 발명

① ㄱ, ㄴ　　　　　② ㄱ, ㄷ
③ ㄱ, ㄹ　　　　　④ ㄴ, ㄷ
⑤ ㄴ, ㄹ

03 보기의 빈칸에 들어갈 알맞은 말을 #4문단에서 찾아 각각 쓰시오.

보기
　근현대의 과학과 철학은 별개의 개념으로 여겨지며, 다음과 같은 특성으로 구분된다.

근현대의 과학	근현대의 철학
인 것	인 것

04 ㉠과 ㉡에 대한 설명으로 적절하지 <u>않은</u> 것은?

① ㉠과 ㉡은 모두 자연을 연구의 대상으로 삼았다.

② ㉡은 ㉠의 연구 방법에 문제가 있다고 생각하였다.

③ ㉠은 경험을 통한 추리를 연구 방법으로 활용하였다.

④ ㉡은 열, 무게, 빛 등 사물의 본질에 관심을 가졌다.

⑤ ㉡은 관찰과 실험의 방법을 중시하여 직접 활용하기도 하였다.

독해 포인트 문제

05 보기 의 빈칸에 들어갈 '지수'의 말로 가장 적절한 것은?

> 보기
>
> 지수: 나는 이 글의 내용을 토대로 해서 우리 반 친구들에게 발표를 하려고 해. 발표의 제목을 무엇으로 하면 좋을까?
>
> 소미: 이 글의 주제를 제목으로 나타내는 게 어때?
>
> 지수: 그럼, '⬚⬚⬚⬚⬚⬚⬚⬚⬚⬚' 라고 하면 되겠다.

① 현대 과학의 발달
　　— 17세기 이후의 과학을 중심으로

② 경험으로서의 과학
　　— 관찰과 실험 방법을 중심으로

③ 과학과 철학의 조화
　　— 경험과 사유의 조화를 중심으로

④ 과학적 방법론 고찰
　　— 베이컨의 관찰과 실험을 중심으로

⑤ 인간의 행복을 위한 과학
　　— 과학의 다양한 분야를 중심으로

06 글쓴이의 관점으로 보아 빈칸에 들어갈 말로 가장 적절한 것은?

> 과학과 철학은 서로 ⬚⬚⬚⬚ 인 관계이다.

① 상보적　　② 상대적　　③ 상시적
④ 상투적　　⑤ 상징적

완벽 마스터 문제

07 이 글의 내용과 일치하지 <u>않는</u> 것은?

① 17세기에는 과학이 비약적으로 발전하였다.

　3문단에서 17세기에 이루어진 과학의 비약적인 발전을
　[❶　　　　]이라고 부른다고 하였다.

② 철학은 과학의 윤리적인 측면을 보완할 수 있다.

　5문단에서 철학이 제시하는 [❷　　　　] 윤리와
　연구 방법에 대한 윤리가, 과학이 인간에게 이로운 방향
　으로 발전하도록 도울 수 있다고 하였다.

③ 같은 현상도 관찰하는 사람에 따라 결과가 달라질 수 있다.

　5문단에서 관찰하는 사람의 [❸　　　　], 가치관,
　사회적 처지에 따라 경험을 판단하게 된다고 하였다.

④ 기술이 과학의 영역으로 들어온 것은 17세기에 들어서이다.

　3문단에서 기술자들이 사용하던 실험이나 측정의 방법을
　17세기부터 과학자들이 사용하게 되었다고 하였다.

⑤ 모든 문제를 과학으로 해결할 수 있다는 생각은 고대부터 지속되어 왔다.

　4문단에서 과학만능주의가 등장하게 된 시기는 근현대라
　고 밝히고 있다.

7문제 중에
　　　　문제 맞혔어!

17 현실을 보는 창, 풍속화

이번에 읽을 글은 조선 후기에 유행했던 풍속화에 대해 설명하고 있어.
글을 읽기 전에 어휘를 미리 알아 두면 글을 이해하는 데 도움이 될 거야.

✅ 읽기 전 어휘 체크

○ 금기

○ 부속물

○ 생동감

○ 저속

○ 적나라하다

○ 산수화

○ 관념적

01 한자를 통해 뜻 추측하기

다음 한자를 보고 각 어휘의 뜻을 추측하시오.

금기	부속물	생동감	저속
禁 금하다 금 忌 꺼리다 기	附 붙다 부 屬 잇다 속 物 물건 물	生 살다 생 動 움직이다 동 感 느끼다 감	低 낮다 저 俗 속되다 속
①	②	③	④

㉠	㉡	㉢	㉣
품위가 낮고 고상하지 못하며 천함.	마음에 꺼려서 하지 않거나 피함.	생기 있게 살아 움직이는 듯한 느낌.	기본이 되는 사물이나 기관에 딸려 붙어 있는 물건.

02 문장을 통해 뜻 추측하기

다음 문장에 공통으로 쓰인 '적나라하다'의 뜻을 추측하시오.

> - 그 사진은 전쟁의 피해를 **적나라하게** 보여 준다.
> - 제가 지닌 장점과 단점을 **적나라하게** 말씀해 주세요.
> - 조선 시대의 풍속화에는 당시의 모습이 **적나라하게** 드러나 있어요.

① 있는 그대로 다 드러내어 숨김이 없다.
② 마음이 가라앉지 않고 들떠서 두근거리다.
③ 생각이나 행동이 감정에 좌우되지 않고 침착하다.

03 자료를 통해 뜻 추측하기

다음을 보고 '산수화'와 '관념적'의 뜻을 추측하시오.

왼쪽 그림은 겸재 정선의 「금강전도」라는 작품으로 화가가 직접 금강산을 둘러본 후 그린 것입니다. 이와 같이 우리나라의 아름다운 강산을 실제 눈으로 보고 그린 산수화를 '진경 산수화'라고 합니다. 한편 산수화의 종류에는 머릿속으로 상상한 경치와 관념적인 주제를 담은 '관념 산수화'도 있습니다.

	산수화	관념적
①	물감을 물에 풀어서 그린 그림.	현재 실제로 존재하거나 실현될 수 있는 것.
②	먹으로 짙고 엷음을 이용하여 그린 그림.	생각할 수 있는 범위 안에서 가장 완전하다고 여겨지는 것.
③	산과 물이 어우러진 자연의 아름다움을 그린 그림.	현실에 바탕을 두지 않는 추상적이고 공상적인 생각에 관한 것.

지금 배운 어휘들은 이어질 글에 **표시**해 두었어.
어휘의 뜻을 떠올리며 글을 읽어 보자.

17

현실을 보는 창, 풍속화

이 글을 읽기 전에 먼저
이 글의 독해 포인트 를 확인해 보자!

독해 포인트

1 김홍도의 풍속화와 신윤복의 풍속화는 어떻게 다른가?

2 조선 후기 풍속화가 지닌 가치는 무엇인가?

#1문단 풍속화란 당시 사람들의 생활 모습을 그린 그림이다. 우리나라에 풍속화가 [1]본격적으로 등장한 것은 조선 후기이다. 이 시기에는 상업과 공업이 발달하여 서민들의 생활 형편이 점차 나아지고, 큰 부자까지 나타날 정도로 서민의 지위가 올라갔다. 　　ⓐ　　, 양반 [2]사대부의 권위는 예전에 비해 약화될 수밖에 없었다. 이와 같은 사회의 변화는 그림에도 영향을 미쳤는데, 사대부 취향의 그림이 중심이 되던 것에서 벗어나 **저속**한 것으로만 여겨졌던 풍속화가 유행하기 시작하였다.

#2문단 조선 후기에 풍속화를 그린 대표적인 화가로는 ㉠김홍도와 ㉡신윤복이 있다. 김홍도와 신윤복은 같은 시대에 살았던 화가로, [3]도화서의 화원으로 일하며 사대부 취향의 그림을 그리기도 했다. 하지만 여기에 얽매이지 않고 당시의 시대상과 생활상을 그린 작품 역시 많이 남겼다. 두 사람은 당시 사람들이 살아가는 모습을 생생하고 솔직하게 그려 냈기에 가장 한국적인 화가라고 볼 수 있다.

#3문단 김홍도와 신윤복의 풍속화는 당시의 시대상과 생활상을 담고 있다는 공통점이 있지만 차이점도 있다. 우선 김홍도는 농민이나 대장장이가 일하는 모습, 씨름이나 윷놀이를 즐기는 모습, 서당이나 빨래터의 풍경 등 평범한 서민들의 일상적인 모습을 [4]화폭에 담으며 인물의 표정이나 동작을 [5]해학적으로 그렸다. 그리고 인물을 강조하기 위해 배경을 종종 생략하였다. 반면 신윤복은 서민이 아닌 양반이나 기녀를 주인공으로 삼아 당시에 **금기**로 여겨지던 남녀 간의 애정을 **적나라하게** 표현하였다. 또한 기방, 남의 시선이 닿지 않는 은밀한 뒤뜰의 풍경, 상류 사회에서 벌인 [6]연회 등 낭만적이고 풍류적인 삶의 모습을 그렸다. 그리고 김홍도와 달리 화려한 채색과 배경 묘사로 주제를 강조하였다.

#4문단 우리는 김홍도와 신윤복의 그림으로 대표되는 조선 후기 풍속화에서 사상적·예술적 가치를 발견할 수 있다. 사상적 측면에서 풍속화는 인간 중심적 사고를 잘 보여 준다. 이전까지 유행한 **산수화**는 사람을 그리지 않거나 그리더라도 자연의 **부속물**로 표현할 뿐이었다. 하지만 풍속화는 이전에는 그림 밖에 있던 사람을 그림의 중심으로 끌어들임으로써 인간 중심적 사고를 드러내는 중요한 양식이 되었다.

#5문단 예술적 측면에서 풍속화는 조선 회화의 미적 영역을 확대했다는 가치를 지닌다. 풍속화 이전의 조선 회화는 사대부 취향의 자연이나 **관념적**[7]이상 세계를 그리는 것에 한정되어 있었다. 그러다 풍속화에 이르러서 여러 계층의 **생동감** 넘치는 삶의 현장을 그려 내고, 억눌렀던 사람들의 감정을 솔직하게 담아냄으로써 폭과 깊이에서 한 단계 성장하게 된다. 이처럼 풍속화는 [8]당대를 살아간 사람들의 모습을 통해 조선 후기의 인간 중심적 사고와 그림에 대한 새로운 접근을 보여 준다.

#문단별 **핵심 태그**

1문단 조선 후기 사회의 변화로 유행하기 시작한 #

2문단 조선 후기의 대표적인 풍속 화가, # 와 신윤복이 그린 풍속화의 특징

3문단 # 을 주로 그린 김홍도와, 양반이나 기녀를 주로 그린 신윤복

4문단 조선 후기 풍속화의 사상적 가치 — # 중심적 사고를 보여 줌

5문단 조선 후기 풍속화의 예술적 가치 — 조선 회화의 # 영역을 확대함

어휘 태그
1 **본격적** 일이 제 궤도(일이 발전하는 방향과 단계)에 올라 매우 적극적인 것. 또는 모습을 제대로 갖춘 것.
2 **사대부** 사(士. 양반 계층인 선비)와 대부(大夫. 벼슬 등급에 붙이던 이름)를 아울러 이르는 말. 양반을 일반 평민층에 상대하여 이르는 말이다.
3 **도화서** 조선 시대에, 그림에 관한 일을 맡아보던 관청.
4 **화폭** 그림을 그려 놓은 천이나 종이.
5 **해학적** 익살스럽고도 품위가 있는 말이나 행동이 있는 것.
6 **연회** 축하, 위로, 환영, 이별 등을 위해 여러 사람이 모여 베푸는 잔치.
7 **이상** 생각할 수 있는 범위 안에서 가장 완전하다고 여겨지는 상태.
8 **당대** 일이 있는 바로 그 시대.

1 김홍도와 신윤복의 풍속화

김홍도	신윤복
공통점 당시의 시대상과 **1**◻◻◻ 을 생생하고 솔직하게 표현함.	
차이점 • 평범한 서민들의 일상적인 삶의 모습을 그림. • 인물의 표정과 동작을 해학적으로 표현하고, 배경을 종종 생략함.	• 양반이나 기녀들의 낭만적이고 풍류적인 삶의 모습을 그림. • 화려한 채색과 **2**◻◻ 묘사로 주제를 강조함.

2 조선 후기 풍속화의 가치

사상적 가치
그림 밖에 있던 사람을 그림의 중심으로 끌어들임으로써, **3**◻◻ 중심적 사고를 드러내는 양식이 됨.

4◻◻적 가치
여러 계층의 생동감 넘치는 삶의 현장을 담아냄으로써, 사대부 취향의 자연이나 관념적 이상 세계를 그리는 것에 한정되었던 조선 회화의 미적 영역을 확대함.

01 이 글을 통해 알 수 없는 것은?

① 조선 후기 풍속화의 소재
② 조선 후기 풍속화의 가치
③ 풍속화가 유행할 당시의 사회 변화
④ 김홍도가 그린 풍속화와 산수화의 차이점
⑤ 조선 후기에 풍속화를 그린 대표적인 화가

독해 포인트 문제

02 ㉠과 ㉡에 대한 설명으로 적절하지 않은 것은?

① ㉠과 ㉡은 모두 조선 후기를 대표하는 화가이다.
② ㉠과 ㉡은 모두 도화서에서 화원으로 일한 적이 있다.
③ ㉠과 달리, ㉡은 주제를 강조하기 위해 배경을 생략하였다.
④ ㉠과 달리, ㉡은 상류 사회의 연회와 풍류적인 삶의 모습을 그렸다.
⑤ ㉡과 달리, ㉠은 평범한 서민들의 일상적인 모습을 해학적으로 그렸다.

독해 포인트 문제

03 '조선 후기 풍속화'의 가치로 알맞은 것을 보기 에서 골라 바르게 묶은 것은?

보기
ㄱ. 인간 중심적 사고를 드러내었다.
ㄴ. 관념적 이상 세계를 표현하였다.
ㄷ. 조선 회화의 미적 영역을 확대하였다.
ㄹ. 서민들의 생활 형편을 나아지게 만들었다.

① ㄱ, ㄴ   ② ㄱ, ㄷ
③ ㄱ, ㄹ   ④ ㄴ, ㄷ
⑤ ㄴ, ㄹ

04 보기는 '산수화'와 '풍속화'를 비교한 것이다. 빈 칸에 공통으로 들어갈 말을 쓰시오.

보기

산수화	___을/를 그리지 않거나, 그리더라도 자연의 부속물로 표현함.

↕

풍속화	이전에는 그림 밖에 있던 ___을/를 그림의 중심으로 끌어들임.

---

05 '풍속화'에 해당하는 그림이 <u>아닌</u> 것은?

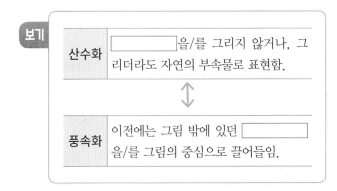

①  ②

③  ④

⑤

06 ⓐ에 들어갈 말로 가장 적절한 것은?

① 또는　　　　　② 따라서
③ 반면에　　　　④ 예를 들면
⑤ 마찬가지로

완벽 마스터 문제

07 이 글의 내용으로 알 수 <u>없는</u> 것은?

① 풍속화는 당시 사람들의 생활상을 그린 그림이다.

> 1문단에서 풍속화의 개념을 설명하고, 조선 후기에 풍속하게 등장하게 된 배경을 설명하고 있다.

② 풍속화는 서민들을 비판하려는 의도를 가지고 있었다.

> 4, 5문단에서 서민을 그린 풍속화는 인간 중심적인 사고를 잘 보여 준다고 하였다.

③ 풍속화가 그리는 대상은 서민부터 양반까지 다양하였다.

> 3문단에서 [❶　　　　]는 서민들의 일상을, 신윤복은 기녀나 양반의 모습을 그렸다고 하였다.

④ 풍속화는 서민들의 성장과 함께 본격적으로 등장하였다.

> 1문단에서 풍속화는 [❷　　　　]들의 형편이 나아지고 사대부의 권위가 약해지면서 유행하였다고 하였다.

⑤ 풍속화 이전의 조선 회화는 사대부의 관념적 이상 세계를 그리는 데 한정되었다.

> 5문단에서 풍속화는 [❸　　　　]이나 관념적 이상 세계를 그리는 것에서 벗어나 삶의 현장과 사람들의 감정을 솔직하게 담아내었다고 하였다.

7문제 중에
___ 문제 맞혔어!

18 다수를 바꾸는 소수의 힘

이번에 읽을 글은 소수가 다수의 생각을 바꾸는 방법에 대해 설명하고 있어.
글을 읽기 전에 어휘를 미리 알아 두면 글을 이해하는 데 도움이 될 거야.

읽기 전 ✅ 어휘 체크

- ○ **동조**
- ○ **혁신**
- ○ **평균**
- ○ **추종자**
- ○ **암묵적**
- ○ **전자/후자**

01 한자를 통해 뜻 추측하기

다음 한자를 보고 각 어휘의 뜻을 추측하시오.

동조	혁신	평균	추종자
同 한가지 **동** 調 꼭 맞다 **조**	革 가죽, 　 고치다 **혁** 新 새롭다 **신**	平 평평하다 **평** 均 고르다 **균**	追 따르다 **추** 從 좇다 **종** 者 사람 **자**
①	②	③	④

㉠	㉡	㉢	㉣
남의 뒤를 따라서 좇는 사람.	남의 주장에 자기의 의견을 일치시키거나 보조를 맞춤.	여러 사물의 질이나 양을 통일적으로 고르게 한 것.	묵은 풍속, 관습, 조직, 방법 같은 것을 완전히 바꾸어서 새롭게 함.

02 문장을 통해 뜻 추측하기

다음 문장에 공통으로 쓰인 '암묵적'의 뜻을 추측하시오.

"
- 그들은 아무 말도 하지 않았지만 **암묵적**으로 의견의 일치를 보았다.
- '에티켓'은 **암묵적**으로 전해 내려오는 마음가짐이나 몸가짐을 말한다.
- 의견이 마음에 들지 않았는데 침묵만 지키다가 **암묵적**으로 동의한 꼴이 됐어요.
"

① 자기의 의사를 밖으로 나타내지 않는 것.
② 내용이나 뜻을 분명하게 드러내 보이는 것.
③ 중간에 다른 사람이나 사물을 통하여 연결되는 것.

03 한자를 통해 뜻 추측하기

다음을 보고 빈칸에 들어갈 알맞은 말을 차례대로 쓰시오.

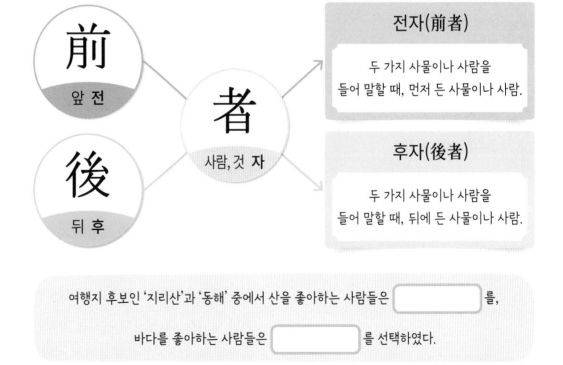

前 앞 전
後 뒤 후
者 사람, 것 자

전자(前者)
두 가지 사물이나 사람을
들어 말할 때, 먼저 든 사물이나 사람.

후자(後者)
두 가지 사물이나 사람을
들어 말할 때, 뒤에 든 사물이나 사람.

여행지 후보인 '지리산'과 '동해' 중에서 산을 좋아하는 사람들은 ☐☐☐ 를,

바다를 좋아하는 사람들은 ☐☐☐ 를 선택하였다.

지금 배운 어휘들은 이어질 글에 **표시**해 두었어.
어휘의 뜻을 떠올리며 글을 읽어 보자.

18
다수를 바꾸는 소수의 힘

이 글을 읽기 전에 먼저
이 글의 독해 포인트 를 확인해 보자!

독해 포인트

1 상황1 에서 소수는 어떻게 다수를 바꾸는가?

2 상황2 에서 소수는 어떻게 다수를 바꾸는가?

#1문단 한 집단이나 사회에서 일어나는 변화는 '위로부터의 **혁신**'과 '아래로부터의 혁신'으로 구분할 수 있다. **전자**는 지도자에 의해 시작되는 변화로, 권력을 가진 지도자가 **추종자**들에게 새로운 행동이나 [1]규범을 전파하여 받아들이게 한다. **후자**는 대개 권력을 갖지 못한 소수의 행동에서 시작되는데, 이때 소수는 다음과 같은 두 가지 상황에 놓일 수 있다.

> 상황1 다수에게는 특정 문제에 대한 규범이나 명확한 판단이 없다.
> 상황2 다수에게는 특정 문제에 대한 규범이나 명확한 판단이 있고, 이에 대해 **암묵적**으로 합의해 왔다.

#2문단 ㉠ 상황1 에서 개인들은 규범도, 명확한 판단도 없기 때문에 문제에 대해 판단하기를 주저하는 경향이 있다. 또한 판단을 하더라도 그 판단이 [2]일관되지 않는다. 개인은 자신의 판단을 겉으로 말하는 순간 곧바로 자신의 판단과 다른 사람들의 판단이 다르다는 것을 알게 된다. 이때 대부분의 개인들은 다른 사람들과 갈등을 일으키거나 자신의 판단을 강력하게 주장하려 하지 않고, **평균**을 이루기 위해 자발적으로 [3]타협하는 경향을 보이게 된다. 그 결과 개인들의 생각의 평균 정도가 규범에 가깝게 된다.

#3문단 그런데 만약 한 개인이 자신의 판단을 강력하게 주장하며 집단의 타협에 ⓐ동의하기를 거부한다고 해 보자. 개인의 이러한 행동은 '규범이 될지도 모르는 평균'에 도전장을 던진 것일 뿐만 아니라, 그 평균의 가치를 약화한다. 개인의 이러한 행동이 타협을 방해한다고 해서 부정적 역할만 하는 것은 아니다. 그 개인의 판단이 [4]타당성을 갖추고 있고 그 개인이 일관되게 행동한다면, 이 판단은 다수에게 확실한 하나의 방향을 제공할 수 있다. 타당하고 일관된 소수의 의견이 규범이 만들어지기 전에 제시되

면, 그 의견은 다수가 반응하는 방향을 이끌고, 결국 공통의 규범을 형성하는 데 영향력을 발휘하게 된다.

#4문단 ⓛ 상황2 에서 한 집단의 규범은 집단을 구성하는 다수의 사람들이 그 규범에 자발적으로 **동조**함으로써 유지된다. 그런데 한 개인이 이미 존재하는 규범에 반대하면서 기존의 규범과 거의 동등한 조건과 힘을 갖춘 새로운 대안을 제시한다고 해 보자. 이 개인은 똑같은 문제를 두고 기존의 규범과 다르게 설명함으로써 다수의 판단이 가진 무오류성에 의심을 던진다. 그 결과 기존의 규범이 가진 힘은 약해진다. 이전에는 당연하고 절대적인 것으로 여겨졌던 집단의 규범이 이제는 여러 개의 선택 방안 중 하나가 되어 경쟁하게 된 것이다.

#5문단 상황2 의 다수는 기존의 제도, [5]준거, 규범을 당연한 것으로 여긴다. 이에 반해 소수는 진실, 아름다움, 역사 등의 상위 [6]범주에 호소함으로써 다수와 똑같은 정도의 확신을 가지고 새로운 판단의 정당성을 주장한다. 그들은 다수의 관점에서는 부정적으로 보일 수 있는 진실에 대한 새로운 원칙이나 개념을 대안으로 내세워 변화를 이끌어 내려 한다. 집단은 진실되고 객관적인 근거를 갖춘 소수의 의견을 무시하는 것이 어려워지고 결국 여러 가지 방안들 중에서 새로운 규범을 선택하지 않을 수 없게 된다.

#문단별
핵심 태그

1문단
아래로부터의 혁신을 이루려는
#_____ 가 놓이는
두 가지 상황

2문단
상황1 에서 #_____ 을
이루기 위해 자발적으로
타협하는 개인

3문단
상황1 에서 소수가 공통의
#_____ 을 형성하는 데
영향력을 발휘하는 방법

4문단
상황2 에서 소수의
#_____ 이 기존의
규범과 경쟁하는 방법

5문단
상황2 에서 #_____ 이
결국 새로운 규범을 선택하게
되는 과정

어휘 태그

1 **규범** 인간이 행동하거나 판단할 때에 마땅히 따르고 지켜야 할 가치 판단의 기준.
2 **일관되지** 하나의 방법이나 태도로써 처음부터 끝까지 한결같이 되지.
3 **타협하는** 어떤 일을 서로 양보하며 서로 협력하여 의논하는.
4 **타당성** 사물의 이치에 맞는 옳은 성질.
5 **준거** 사물의 정도나 성격을 알기 위한 근거나 기준.
6 **범주** 대상을 일정한 기준에 따라 나누어 놓은 갈래를 동일한 성질을 가진 것끼리 묶은 범위.

독해 포인트 확인하기

1 상황1 에서 소수가 다수를 바꾸는 방법

| 상황 1 | 다수에게는 특정 문제에 대한 **1** ☐ ☐ 이나 명확한 판단이 없음. |

한 개인이 집단의 타협에 동의하기를 거부함.

↓

개인이 타당성을 갖춘 자신의 판단을 **2** ☐ ☐ ☐ 있게 주장함.

↓

다수가 반응하는 방향을 이끌어 규범을 형성하는 데 영향을 발휘함.

2 상황2 에서 소수가 다수를 바꾸는 방법

| 상황 2 | 다수에게는 특정 문제에 대한 규범이나 명확한 판단이 있으며 이에 암묵적으로 합의함. |

한 개인이 기존의 규범에 반대하며 그와 동등한 **3** ☐ ☐ 과 힘을 갖춘 대안을 제시함.

↓

• 기존의 규범과 다른 설명으로 다수의 판단이 가진 **4** ☐ ☐ ☐ ☐ 에 의심을 던짐.
• 상위 범주에 호소하여 판단의 정당성을 주장함.

↓

기존의 규범은 대안과 경쟁하고, 다수는 새로운 규범을 선택하게 됨.

01 '위로부터의 혁신'을 주도하는 사람으로 가장 적절한 것은?

① 집단의 지도자
② 지도자의 추종자
③ 집단의 모든 사람
④ 재산이 많은 개인
⑤ 다수와 의견이 다른 소수

<독해 포인트 문제>

02 상황1 에서 소수가 다수를 바꾸기 위한 알맞은 조건을 보기 에서 골라 바르게 묶은 것은?

보기
> ㄱ. 소수의 행동이 일관되어야 함.
> ㄴ. 다수의 판단에 오류가 있어야 함.
> ㄷ. 소수가 권력을 가지고 있어야 함.
> ㄹ. 소수의 판단이 타당성을 갖추고 있어야 함.

① ㄱ, ㄴ ② ㄱ, ㄷ ③ ㄱ, ㄹ
④ ㄴ, ㄷ ⑤ ㄴ, ㄹ

<독해 포인트 문제>

03 보기 는 상황2 에서 소수가 다수를 바꾸는 방법을 정리한 것이다. 적절하지 않은 것은?

보기
> ①한 개인이 기존의 규범에 반대하며 새로운 대안을 제시한다. ②이 개인은 기존의 규범을 반대하는 사람들을 모아 새로운 집단을 만든다. ③이 개인은 똑같은 문제를 기존 규범과 다르게 설명하여 다수의 판단에 오류가 있을 수 있음을 제기한다. ④또 진실, 아름다움, 역사 등의 상위 범주에 호소하여 다수와 똑같은 정도의 확신을 가지고 판단의 정당성을 주장한다. ⑤기존의 규범과 새로운 대안은 서로 경쟁하고, 집단은 새로운 규범을 선택하게 된다.

04 이 글을 바탕으로 보기를 이해할 때, 그 내용으로 적절하지 <u>않은</u> 것은?

> 보기
>
> 　16세기에 코페르니쿠스는 지구가 태양을 중심으로 움직이고 있다는 지동설을 주장했다. 당시는 대부분의 사람들이 태양이 지구를 중심으로 움직인다는 천동설을 옳은 이론이라고 믿고 있던 시대였다. 과학적 근거를 가진 코페르니쿠스의 주장은, 지구가 우주의 중심이고 인간은 지구에 사는 존엄한 존재이며 천상계는 신의 영역이라는 중세의 우주관을 붕괴시켰다.

① 지동설은 천동설과 거의 동등한 조건과 힘을 갖춘 대안이었겠군.
② 코페르니쿠스는 개인들의 타협을 방해한다는 점에서 부정적이었겠군.
③ 코페르니쿠스의 주장 때문에 중세의 우주관은 무오류성을 의심받게 되었겠군.
④ 중세의 우주관이 붕괴한 것은 코페르니쿠스의 지동설이 혁신을 일으킨 결과겠군.
⑤ 코페르니쿠스는 지동설의 정당성을 주장하기 위해 진실이라는 상위 범주에 호소하였겠군.

05 다음 중 나머지와 관점이 <u>다른</u> 것은?

① 소수의 의견은 정체되어 있는 다수의 생각에 변화를 이끌어 낼 수 있지.
② 소수와 다수의 갈등이 없다면 잘못된 제도나 이론이 개선되지 않을 거야.
③ 다수의 의견에 반대하는 소수는 사회 통합에 저항하고 이를 방해하는 세력일 뿐이야.
④ 소수가 제시하는 새로운 대안은 기존의 믿음에 과연 오류가 없는지 생각하도록 만들어.
⑤ 다수와 다른 의견을 내는 소수는 사회가 발전해 나가기 위한 방향성을 제공할 수 있어.

06 ⓐ와 바꾸어 쓸 수 있는 말이 <u>아닌</u> 것은?

① 따르기를
② 알맞기를
③ 동조하기를
④ 찬성하기를
⑤ 맞장구치기를

완벽 마스터 문제

07 ㉠과 ㉡에 대한 설명으로 적절하지 <u>않은</u> 것은?

① ㉠의 개인들은 타협하지 못하고 갈등한다.

> 2문단에서 ㉠의 개인은 [❶　　　　　]을 이루기 위해 자발적으로 타협하는 경향을 보인다고 하였다.

② ㉠의 개인들이 내린 판단은 일관되지 않는다.

> 2문단에서 ㉠의 개인은 어떤 문제에 대해 판단하기를 주저하고, 그 판단도 일관되지 않는다고 하였다.

③ ㉡의 규범은 당연하고 절대적인 것으로 여겨진다.

> 4문단에서 상황 2의 규범은 다수의 사람들에게 당연하고 절대적인 것으로 여겨진다고 하였다.

④ ㉡의 규범은 개인들이 규범에 자발적으로 동조하여 유지된다.

> 4문단에서 상황 2의 규범은 규범을 공유하는 다수의 사람들이 자발적으로 [❷　　　　　]하여 유지된다고 하였다.

⑤ ㉠과 ㉡ 모두 집단의 합의에 동의하지 않은 소수가 다수에게 영향을 미친다.

> 3~4문단에서 ㉠은 집단의 [❸　　　　　]을 거부함으로써, ㉡은 집단의 동조로 만들어진 규범에 반대함으로써 소수가 다수의 결정에 영향을 끼친다고 하였다.

7문제 중에
＿＿＿＿ 문제 맞혔어!

19

기계화와 자동화의 두 얼굴

이번에 읽을 글은 기계화와 자동화가 가져온 결과를 균형 잡힌 시각으로 살펴보고 있어. 글을 읽기 전에 어휘를 미리 알아 두면 글을 이해하는 데 도움이 될 거야.

읽기 전 어휘 체크

○ 양산

○ 폐해

○ 극대화

○ 다방면

○ 실업자

○ 이면

○ 배제하다

01 한자를 통해 뜻 추측하기

다음 한자를 보고 각 어휘의 뜻을 추측하시오.

양산	폐해	극대화	다방면	실업자
量 분량 **양** 産 만들다 **산**	弊 나쁘다 **폐** 害 해롭다 **해**	極 매우 **극** 大 크다 **대** 化 되다 **화**	多 많다 **다** 方 방향 **방** 面 모양 **면**	失 잃다 **실** 業 직업 **업** 者 사람 **자**
①	②	③	④	⑤

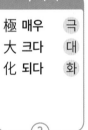

ㄱ	ㄴ	ㄷ	ㄹ	ㅁ
많이 만들어 냄.	여러 방향과 측면, 여러 분야.	아주 커짐. 또는 아주 크게 함.	옳지 못한 경향이나 해로운 현상으로 인해 생기는 피해.	경제 활동을 할 수 있는 나이의 사람 가운데 직업이 없는 사람.

02 문장을 통해 뜻 추측하기

다음 문장에 공통으로 쓰인 '이면'의 뜻을 추측하시오.

> • 그는 순진한 얼굴 이면에 무서운 성품을 감추고 있었다.
> • 이 강연은 교과서에 나오지 않는 역사의 이면을 다룰 예정입니다.
> • 겉으로 드러난 단어의 뜻에 매달리지 말고 그 이면에 숨겨진 뜻을 파악해야 한다.

① 남을 대하기에 떳떳한 도리나 얼굴.
② 말이나 하는 짓이 겉에 드러나는 모양.
③ 겉으로 나타나거나 눈에 보이지 않는 부분.

03 자료를 통해 뜻 추측하기

다음을 보고 '배제하다'의 뜻을 추측하시오.

정부는 이번 홍수에서 비교적
피해를 적게 입은 지역은
특별 재난 지역에서
배제하겠다고 발표하였습니다.

OO시 | 특별 재난 지역 선정 / 특별 재난 지역 배제

① 믿음이나 의리를 저버리다.
② 받아들이지 않고 물리쳐 제외하다.
③ 힘으로 눌러 남에게 원하지 않은 일을 억지로 시키다.

지금 배운 어휘들은 이어질 글에 **표시**해 두었어.
어휘의 뜻을 떠올리며 글을 읽어 보자.

19
기계화와 자동화의 두 얼굴

이 글을 읽기 전에 먼저
이 글의 독해 포인트 를 확인해 보자!

독해 포인트

1 기계화와 자동화의 긍정적 측면은 무엇인가?

2 기계화와 자동화의 부정적 측면은 무엇인가?

#1문단 쉴 새 없이 돌아가는 [1]컨베이어 벨트 양옆에 줄지어 앉아 자동차의 부품을 조립하는 노동자, 은행에서 손으로 지폐를 세는 은행원, 사무실에서 주판을 튕기거나 계산기를 두드리는 [2]경리 직원의 모습은 이제 상상조차 하기 어렵다. 오늘날 우리는 로봇이 자동차를 조립하고, [3]계수기가 지폐를 세며, 숫자만 넣으면 컴퓨터가 알아서 계산을 해 주는 시대에 살고 있다. 불과 3, 40년 전만 해도 사람이 하던 일을 자동으로 움직이는 기계가 대신하게 된 것이다. 그 결과 제품 생산이나 업무 처리가 더 정확해지고 빨라졌으며 사람들은 고된 노동과 단순한 업무로부터 벗어날 수 있게 되었다. 이처럼 기계화와 자동화는 생산성을 **극대화**하고 인간에게 편리함을 가져다주었다.

#2문단 오늘날 우리는 기계와 자동화된 시스템이 우리 생활에 주는 편리함과 효율성을 누리고 있지만, 기계화와 자동화는 동전의 양면과 같이, 긍정적 측면의 뒷면에 ㉠부정적인 측면도 가지고 있다. 은행에서 현금을 자동으로 세는 기계를 도입한다고 가정할 때, 은행원은 당장 돈을 세는 업무가 줄어들어 편리함을 느낄지도 모른다. 그러나 현금을 세는 기계가 들어오면 기존에 열 명이 하던 일을 아홉 명이 할 수 있게 된다. 그러면 기업의 입장에서는 [4]인건비를 줄일 수 있게 되지만, 한 명은 일자리가 없는 **실업자** 신세가 되고 만다. 사람에게 이로움을 주는 도구로만 생각되던 기계가 사람의 일을 대체하는 것을 넘어 사람을 **배제하는** 상황이 발생한 것이다. 이처럼 기술의 발전이 가져온 기계화와 자동화는 자본주의 체제하에서 실업자를 **양산**하기도 한다.

어휘 태그

1 **컨베이어(conveyor)** 물건을 연속적으로 이동하거나 운반하는 띠 모양의 운반 장치.
2 **경리** 어떤 기관이나 단체에서 물자의 관리나 돈이 들어오고 나가는 것 등을 맡아보는 일.
3 **계수기** 돈을 세는 기구.
4 **인건비** 사람을 부리는 데 드는 비용.

#3문단 기계화와 자동화는 노동자에 대한 감시를 강화하기도 한다. 최근에는 자동화 기기에 정보 통신 기술까지 더해져 실시간으로 노동자를 감시하고 통제하기에 이르렀다. 예를 들어 자동화 시스템을 통해 한 노동자가 일정 시간 동안 몇 개의 제품을 만들었는지가 자동으로 계산되고, 이를 관리자가 스마트폰을 통해 실시간으로 확인할 수 있다. [5]CCTV를 통해 근로 현장을 감시하거나 [6]GPS를 통해 사업장 내 노동자의 위치를 추적하기도 한다. 정보 통신 기술이 더해진 기계화와 자동화를 통해 언제 어디서나 업무 관리가 가능해진 반면 노동자의 [7]인권을 침해하는 수준의 감시와 통제도 가능해진 것이다.

#4문단 어떤 현상을 평가할 때에는 그것이 끼치게 될 영향까지 **다방면**으로 고려해야 한다. 기계화와 자동화는 인간의 삶에 편리함을 주고 생산성을 극대화하였다는 ⓐ순기능을 지니고 있지만, 그 **이면**에는 인간을 배제하고 통제한다는 ⓑ역기능도 지니고 있다. 더욱이 누군가가 의도를 가지고 발전된 기술을 [8]악용한다면 그 **폐해**는 이루 다 말할 수 없을 것이다. 따라서 기계화와 자동화 같은 과학 기술의 발전이 인간에게 편리함뿐만 아니라 부작용도 가져올 수 있다는 것을 명심하고 이를 균형 잡힌 시각으로 바라보아야 할 것이다.

#문단별 **핵심 태그**

1문단 기계화와 자동화의 긍정적 측면 - # 을 극대화하고 인간에게 편리함을 가져다줌

2문단 기계화와 자동화의 부정적 측면 ① - 자본주의 체제하에서 # 를 양산함

3문단 기계화와 자동화의 부정적 측면 ② - # 기술이 더해져 노동자를 감시하고 통제함

4문단 글쓴이의 관점 - 과학 기술의 발전을 # 잡힌 시각으로 바라보아야 함

어휘 태그

5 **CCTV(Closed Circuit Television)** 시시 티브이. 폐쇄 회로 텔레비전. 특정인에게만 영상을 전송하는 시스템. 교통, 공장 등의 여러 가지 산업 분야에서 쓰임.
6 **GPS(Global Positioning System)** 지피에스. 인공위성을 이용하여 자신의 위치를 정확히 알아낼 수 있는 시스템.
7 **인권** 인간으로서 당연히 가지는 기본적 권리.
8 **악용한다면** 알맞지 않게 쓰거나 나쁜 일에 쓴다면.

확인하기

1 기계화와 자동화의 긍정적 측면

사람이 하던 일을 기계가 대신하여 제품 생산이나 업무 처리가 더 정확해지고 빨라짐.	사람들이 고된 **1** ☐☐ 과 단순한 업무로부터 벗어나게 됨.

기계화와 자동화는 **2** ☐☐☐ 을 극대화하고 인간에게 편리함을 가져다줌.

2 기계화와 자동화의 부정적 측면

사람의 일을 대체하는 것을 넘어 사람을 배제함으로써 자본주의 체제하에서 **3** ☐☐☐ 를 양산하기도 함.	자동화 기기에 정보 통신 기술까지 더해져 실시간으로 **4** ☐☐☐ 를 감시하고 통제하기에 이름.

- 과학 기술의 발전이 편리함뿐만 아니라 부작용도 가져올 수 있음.
- 과학 기술의 발전은 균형 잡힌 시각으로 바라볼 필요가 있음.

01 이 글의 제목의 의미로 가장 적절한 것은?

① 기계화에는 단점이 있지만 자동화로 보완할 수 있다.
② 과학 기술의 발전은 기계화와 자동화로 요약할 수 있다.
③ 기계화와 자동화의 한계를 정보 통신 기술로 극복할 수 있다.
④ 기계화와 자동화는 인간에게 편리함을 주지만 환경을 파괴한다.
⑤ 기계화와 자동화는 긍정적인 측면과 부정적인 측면을 모두 가지고 있다.

독해 포인트 문제

02 '기계화'와 '자동화'의 긍정적인 측면으로 볼 수 없는 것은?

① 생활에 편리함을 줄 수 있다.
② 어디서나 업무 관리를 할 수 있다.
③ 업무의 정확성과 속도를 높일 수 있다.
④ 사람들이 고된 노동에서 벗어날 수 있다.
⑤ 생산성을 높여 실업 문제를 해결할 수 있다.

독해 포인트 문제

03 ㉠의 내용으로 가장 적절한 것은?

① 업무 효율성이 감소된다.
② 노동자의 임금이 삭감된다.
③ 기계를 관리하는 업무가 증가된다.
④ 노동자에 대한 감시와 통제가 강화된다.
⑤ 자동화 시스템 구축을 위한 비용이 증가된다.

04 이 글을 바탕으로 보기를 설명할 때, 그 내용으로 가장 적절한 것은?

보기

○○ 사는 2000년 이후부터 매년 공장에 많은 자동화 기기를 꾸준히 도입하고 있다.

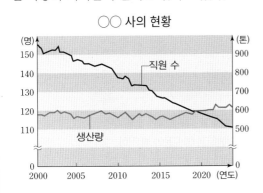

○○ 사의 현황

① ○○ 사는 자동화를 부정적으로 생각한다.
② ○○ 사는 2000년 이후로 인건비가 줄어들었다.
③ ○○ 사는 정보 통신 기술로 인권을 침해하고 있다.
④ ○○ 사는 자동화 기기를 도입하였지만 생산성은 나아지지 않았다.
⑤ ○○ 사의 사례를 통해 기계화·자동화가 고용률을 높인다는 사실을 알 수 있다.

05 보기는 '과학 기술 발전'에 대한 글쓴이의 생각이다. A와 B에 들어갈 알맞은 말을 각각 쓰시오.

보기

기계화·자동화와 같은 과학 기술 발전은 인간에게 편리함을 주는 한편, [A]을/를 가져올 수 있으며 악용될 가능성도 있으므로 이를 [B] 잡힌 시각으로 바라보아야 한다.

• A: _____

• B: _____

06 두 어휘의 관계가 ⓐ : ⓑ의 관계와 다른 것은?

① 벗다 : 입다
② 이롭다 : 해롭다
③ 유익하다 : 무익하다
④ 유약하다 : 유연하다
⑤ 강화하다 : 약화하다

완벽 마스터 문제

07 '기계화'와 '자동화'의 사례로 볼 수 없는 것은?

① GPS로 노동자의 위치를 확인한다.

3문단에서 GPS를 통해 노동자가 사업장 내에 어디에 있는지 추적할 수 있다고 하였다.

② CCTV로 노동자가 일하는 현장을 감시한다.

3문단에서 CCTV를 통해 [❶　　　　] 현장을 감시하는 것까지 가능하다고 하였다.

③ 노동자가 컨베이어 벨트 위의 부품을 조립한다.

1문단에서는 기계화와 자동화가 이루어지기 이전의 모습을 다양한 사례를 들어 설명하고 있다.

④ 노동자가 일한 양을 관리자가 스마트폰으로 확인한다.

3문단에서 자동화 시스템을 통해 계산된 정보를 관리자가 [❷　　　　]을 통해 실시간으로 확인할 수 있다고 하였다.

⑤ 노동자가 일정 시간 동안 얼마만큼의 일을 했는지 자동으로 계산한다.

3문단에서 [❸　　　　] 시스템을 통해 한 노동자가 일정 시간 동안 몇 개의 제품을 만들었는지 자동으로 계산할 수 있다고 하였다.

7문제 중에
_____문제 맞혔어!

20 음악의 의미는 어디에서나 같을까

이번에 읽을 글은 사회나 문화에 따라 음악도 달라질 수 있음을 보여 주고 있어.
글을 읽기 전에 어휘를 미리 알아 두면 글을 이해하는 데 도움이 될 거야.

읽기 전 어휘 체크

- 감흥
- 반문
- 성가
- 일치
- 기악곡
- 밀접하다
- 문화권

01 한자를 통해 뜻 추측하기

다음 한자를 보고 각 어휘의 뜻을 추측하시오.

감흥	반문	성가	일치	기악곡
感 느끼다 감 興 흥 흥	反 뒤집다 반 問 묻다 문	聖 성스럽다 성 歌 노래 가	一 하나 일 致 이르다 치	器 도구 기 樂 연주하다 악 曲 가락 곡
①	②	③	④	⑤

㉠	㉡	㉢	㉣	㉤
물음에 대답하지 않고 되받아 물음.	주로 종교적인 성격을 지닌, 신성한 노래.	악기를 사용하여 연주하기 위해 작곡한 음악 작품.	마음속 깊이 감동받아 일어나는 흥겨운 느낌.	비교되는 대상들이 서로 어긋나지 않고 같거나 들어맞음.

02 문장을 통해 뜻 추측하기

다음 문장에 공통으로 쓰인 '밀접하다'의 뜻을 추측하시오.

> • 스마트폰은 우리 생활과 **밀접하게** 연관되어 있다.
> • 어휘력이 좋아야 독해력이 좋듯 둘은 **밀접한** 관련이 있다.
> • 우리는 어릴 때부터 한 동네에 살아서 사이가 아주 **밀접하다**.

① 서로 얼굴을 마주 보고 대하다.
② 숨어 있어서 겉으로 드러나지 않다.
③ 아주 가깝게 맞닿아 있다. 또는 그런 관계에 있다.

03 자료를 통해 뜻 추측하기

다음을 보고 '문화권'의 뜻을 추측하시오.

▲ 한국의 전통 건축물　　▲ 중국의 전통 건축물　　▲ 일본의 전통 건축물

같은 동아시아 문화권에 속하는 한국, 중국, 일본은
종교, 언어, 건축물 등에서 공통점을 가지고 있다.

① 일정한 곳에 머물러 삶. 또는 그런 집.
② 한 나라를 다스리는 힘이 미치는 영역.
③ 공통적인 하나의 문화가 영향을 미치는 지역의 범위.

> 지금 배운 어휘들은 이어질 글에 **표시**해 두었어.
> 어휘의 뜻을 떠올리며 글을 읽어 보자.

20
음악의 의미는 어디에서나 같을까

이 글을 읽기 전에 먼저
이 글의 **독해 포인트** 를 확인해 보자!

독해 포인트

1 글쓴이가 글을 전개하고 있는 방식은 어떠한가?

2 글쓴이가 제시한 사례에는 어떤 것들이 있는가?

#가 1960년대 이전, 사람들은 '음악'이라고 하면 대개 서양의 음악을 가장 먼저 떠올렸다. 많은 사람들이 ¹전형적인 서양 음악을 ²보편적인 음악으로 여겨 온 것이다. 또한 같은 음악을 들었을 때 사람들은 모두 같은 **감흥**을 받을 것이라고 믿었다. 서양의 과학자들이 모차르트의 음악을 우주 탐사선에 실어 보내며 외계인과 교류를 시도했다는 일화에는 모차르트의 음악을 듣고 외계인도 같은 감흥을 느낄 것이라는 믿음이 깔려 있다.

#나 그러나 이 믿음에 의문을 던지게 하는 사례들이 있다. 동양의 한 음악가가 유럽에서 난생 처음으로 ³교향곡을 들었다. 유럽의 음악가가 연주회가 어땠느냐고 묻자 동양의 음악가는 첫 번째 부분이 아주 좋았다고 대답했다. 첫 ⁴악장을 말하는 것이냐는 **반문**에 동양의 음악가는 @고개를 흔들며 바로 그 전 부분이라고 대답했다. 유럽의 음악가는 의아한 표정을 지었다. 왜냐하면 그 부분은 ⁵조율 과정이었기 때문이다. 서양 음악에서 악기를 조율하는 과정은 연주를 위한 준비일 뿐이며, 지휘에 따라 음정, 박자, ⁶화성에서 정교하게 **일치**된 소리를 낼 때만을 음악이라고 부른다. 반면 지휘자가 없는 동양의 ⁷합주에서는 연주자들이 서로의 소리에 귀를 기울이며 호흡을 맞춰 나간다. 동양에서는 각 악기가 서로 다른 음정 안에서 한 음을 끌어내는 과정 자체를 음악으로 본다.

#다 비슷한 일화를 하나 더 살펴보자. 서양의 음악가들이 서양 음악을 거의 들어본 적 없는 아마존의 한 부족에게 단조로 된 바흐의 곡을 들려준 적이 있었다. 이 곡은 서양에서 깊은 슬픔을 느끼게 하는 곡으로 유명했다. 그러나 이 곡을 들은 아마존 부족의 사람들은 저마다 느끼는 감정이 달랐다. 서양 음악 체계에서 장조로 된 곡은 기쁨을, 단조로 된 곡은 슬픔을 불러일으키지만, 음

악에 장조와 단조의 체계가 없는 아마존 부족에게는 아무런 차이가 없었기 때문이다.

#라 심지어 노래를 음악으로 간주하지 않는 사례도 있다. 이슬람 **문화권**에서는 그들이 부르는 **성가**를 시를 [8]낭송하는 것으로 여길 뿐 음악으로 분류하지 않는다. 또 ㉠미국의 일부 침례교도들은 악기의 반주 없이 찬송가를 부르기 때문에 자신들의 예배에는 음악이 없다고 주장한다. 그들은 악기로 연주한 소리만을 음악으로 분류하기 때문이다. 한편 ㉡유고슬라비아의 마케도니아 부족은 오로지 '노래'와 '**기악곡**'으로만 음악을 분류하며, 이를 아우르는 '음악'이라는 용어 자체가 없다.

#마 위의 사례들을 보면 과연 서양의 음악이 보편적인 음악인지, 나아가 보편적인 음악이라는 것이 존재하는지 의문이 든다. 이 의문에 대답하기 위해 음악학자들은 연구를 거듭하였다. 그 결과 1960년대부터 서양 중심의 음악관에서 벗어나, 음악을 사회와 문화라는 틀 안에서 분석하게 되었다. [9]문화 인류학자 기어츠는 이렇게 말하기도 하였다. "예술과 그것을 이해하는 능력은 같은 곳에서 만들어진다." 즉, 음악은 그 음악을 둘러싼 사회·문화와 **밀접한** 연관을 가지고 만들어지며, 사회·문화를 바탕으로 [10]향유된다는 것이다.

#문단별
핵심 태그

가 전형적인 #
음악을 보편적인 음악으로 여기는 통념 제시

나 통념을 반박하는 사례 ① ─
교향곡의 #　　　　　 과정을 음악으로 여긴 동양의 음악가

다 통념을 반박하는 사례 ② ─
#　　　　 로 된 곡을 저마다 다르게 느낀 아마존 부족

라 통념을 반박하는 사례 ③ ─
#　　　　 를 음악으로 간주하지 않는 다양한 사례

마 사회·문화와 밀접한 연관을 가지고 만들어지며 이를 바탕으로 향유되는 #

어휘 태그

1 **전형적** 어떤 기준에 따라 나눠 놓은 갈래의 특징을 가장 잘 나타내는 것.
2 **보편적** 모든 것에 두루 미치거나 통하는 것.
3 **교향곡** 관악기, 타악기, 현악기로 함께 연주하기 위해 작곡한 규모가 큰 서양 음악.
4 **악장** 소나타·교향곡·협주곡에서, 여러 개의 독립된 소곡(작은 규모의 음악 작품들)이 모여서 큰 악곡이 되는 경우 그 하나하나의 소곡.
5 **조율** 악기의 음을 기준이 되는 음에 맞추는 것.
6 **화성** 높이가 다른 둘 이상의 음이 함께 울릴 때 어울리는 소리인 화음을 일정한 법칙에 따라 연결한 것.
7 **합주** 두 가지 이상의 악기로 동시에 연주함. 또는 그런 연주.
8 **낭송하는** 크게 소리를 내어 글을 읽거나 외는.
9 **문화 인류학자** 문화의 측면에서 인류의 공통된 특성을 파악하려는 학문을 연구하는 사람.
10 **향유된다는** 가진 것을 누리고 즐기게 된다는.

확인하기

1 글쓴이가 글을 전개한 방식

사람들이 서양 음악을 보편적인 음악이라고 여기는 통념을 제시함.

1 ☐☐ 음악에 대한 통념을 반박하는 다양한 사례를 제시함.

사례들을 종합하여 음악은 음악을 둘러싼 사회·문화와 밀접한 관련이 있음을 밝힘.

2 글쓴이가 제시한 사례

사례 ①
교향곡을 연주하기 전에 2 ☐☐를 조율하는 소리를 음악으로 여긴 동양의 음악가

사례 ②
깊은 슬픔을 불러일으키는 곡으로 유명한 3 ☐☐로 된 바흐의 음악을 듣고 다양한 감정을 느낀 아마존 부족

사례 ③
• 성가를 음악으로 분류하지 않는 이슬람 문화권
• 악기로 연주한 소리만을 음악으로 분류하는 미국의 일부 침례교도들
• '음악'이라는 용어 없이 '4 ☐☐'와 '기악곡'으로만 음악을 분류하는 유고슬라비아의 마케도니아 부족

01 각 문단에 대한 설명으로 적절하지 않은 것은?

① #가 : 음악에 대해 사람들이 떠올리는 통념을 제시하고 있다.
② #나 : 동양의 음악과 서양의 음악이 지닌 차이점을 드러내고 있다.
③ #다 : 통계 자료를 제시하여 글쓴이의 의견을 뒷받침하고 있다.
④ #라 : 다양한 사례를 들어 음악에 대한 통념을 반박하고 있다.
⑤ #마 : 학자의 말을 인용하여 글쓴이의 관점을 드러내고 있다.

02 보기는 음악에 대한 글쓴이의 관점을 정리한 것이다. 빈칸에 들어갈 알맞은 말을 쓰시오.

보기
음악은 그 음악을 둘러싸고 있는 ☐☐☐와/과 밀접한 연관이 있다.

03 이 글의 사례 중 나머지와 성격이 다른 것은?

① 마케도니아 부족은 '음악'이라는 용어를 사용하지 않는다.
② 이슬람 문화권에서는 성가를 시를 낭송하는 것이라고 생각한다.
③ 서양의 과학자들은 모차르트의 음악으로 외계인과 교류를 시도했다.
④ 아마존 부족민들은 단조로 된 바흐의 곡을 듣고 각각 다른 감정을 느꼈다.
⑤ 동양의 음악가는 서양 오케스트라가 조율하는 소리를 듣고 음악이라고 여겼다.

04 보기의 '이 곡'을 ㉠과 ㉡이 각각 어떻게 여길지 추측한 내용으로 가장 적절한 것은?

> 보기
>
> <u>이 곡</u>은 가사가 없으며 악기로만 연주한다.

	㉠	㉡
①	음악으로 여김.	'노래'라고 부름.
②	음악으로 여김.	'음악'이라고 부름.
③	음악으로 여김.	'기악곡'이라고 부름.
④	음악으로 여기지 않음.	'음악'이라고 부름.
⑤	음악으로 여기지 않음.	'기악곡'이라고 부름.

05 이 글을 읽은 독자가 보기에 대해 보일 수 있는 반응으로 적절하지 <u>않은</u> 것은?

> 보기
>
> 　독일의 한 심리학자는 음악 전공자와 그렇지 않은 사람에게 장조로 된 음악과 단조로 된 음악을 들려주고, 각각 어떤 감정을 느끼는지를 실험하였다. 그 결과 장조와 단조에 대해서 배운 음악 전공자들은 장조로 된 곡에서 기쁨을 느끼고 단조로 된 곡에서 슬픔을 분명하게 느꼈다. 하지만, 음악을 전공하지 않은 사람들은 좀 더 다양한 감정을 느꼈다.

① 음악을 이해하고 향유하는 능력은 교육과도 연관이 있겠군.

② 같은 음악을 들은 사람이라도 저마다 다른 감흥을 받을 수 있겠군.

③ 어떤 음악을 듣고 특정한 감정을 느끼는 능력은 타고나는 것이겠군.

④ 음악을 전문적으로 연구하는 사람은 장조와 단조로 된 곡을 다르게 듣겠군.

⑤ 아마존 부족민이 서양의 음악 교육을 받았다면 바흐의 곡을 듣고 슬픔을 느꼈겠군.

06 ⓐ와 바꾸어 쓸 수 있는 말로 가장 적절한 것은?

① 외면하며

② 떳떳해하며

③ 아니라고 하며

④ 긍정을 표시하며

⑤ 기세를 누그러뜨리며

완벽 마스터 문제

07 '서양 음악'에 대한 설명으로 적절한 것은?

① 음악을 연주하기 전에 조율 과정을 거친다.

> (나)를 보면 서양 음악에서 [❶　　　　　] 과정은 연주를 위한 준비 과정일 뿐이라고 하였다.

② 어느 나라에서나 보편적으로 통하는 음악이다.

> (마)에서는 서양 음악이 보편적인 음악인지, 보편적인 음악이 존재하는지에 대한 의문을 제기하고 있다.

③ 악기의 반주가 없는 노래는 음악으로 여기지 않는다.

> (라)에서 서양 음악에 대한 통념에 반대되는 사례로 미국의 일부 침례교도들의 찬송가에 대한 생각을 들고 있다.

④ 각 악기가 서로 다른 음정 안에서 한 음을 끌어내는 과정을 뜻한다.

> (나)에서 서양 음악은 [❷　　　　], 박자, 화성에서 정교하게 일치된 소리를 내는 것이라고 하였다.

⑤ 지휘자 없이 합주 연주자들이 서로의 소리를 들으며 호흡을 맞춘다.

> (나)에서 서양 음악에는 [❸　　　　]가 있어서 연주자들은 지휘에 따라 음악을 연주한다고 하였다.

7문제 중에
＿＿＿＿＿ 문제 맞혔어!

메모하는 곳!

초등

수능
독해

비문학
2

가이드북

초등

수능
독해

비문학 2 │ 과학·사회·기술
인문·예술·융합

가이드북

수능! 그것이 알고 싶다

수능을 파헤치는 첫 번째 질문
'수능'이 무엇인가요?

수능은 '대학 수학 능력 시험'의 줄임말이에요. 대학에 진학할 만큼 학습할 능력이 있는지 평가하는 시험이라는 뜻이지요. 고등학교까지 교육과정을 마친 사람들이 11월 셋째 주 목요일에 수능을 치러요. 수능을 보는 날짜는 나라에 중요한 일이 있을 때에는 바뀔 수도 있어요. 학생들은 이 시험 점수를 가지고 가고 싶은 대학교에 지원하게 되지요.

수능을 파헤치는 두 번째 질문
수능에서 시험을 치르는 영역에는 무엇이 있나요?

수능에서 출제되는 영역은 '국어, 수학, 영어, 한국사, 사회탐구, 과학탐구, 직업탐구, 제2외국어/한문'이 있어요. 수능에서 어떤 영역의 시험을 볼지는 필수인 한국사를 제외하고는 스스로 정할 수 있지만 자신이 가고 싶은 학교의 입학 요건에 맞추어 자신이 시험 볼 영역을 신청해야 하지요.

수능을 파헤치는 세 번째 질문
수능은 얼마 동안 몇 문제를 풀어야 하나요?

수능은 하루 동안 모든 시험을 치러요. 영역별로 문제를 풀 수 있는 시간은 정해져 있어요. 국어는 80분, 수학은 100분, 영어는 70분, 한국사와 탐구는 과목당 30분, 제2외국어·한문은 과목당 40분의 시간을 준답니다. 문제의 개수도 영역별로 달라요. 국어와 영어는 가장 많은 45문제가, 수학과 제2외국어/한문은 30문제, 한국사와 탐구는 20문제씩 출제된답니다.

수능을 파헤치는 네 번째 질문
수능 성적은 어떻게 나오나요?

수능에서 말하는 '표준점수'는 내 점수가 평균과 비교해서 어느 정도인지 계산해서 주는 점수예요. 표준점수를 보면 내가 전체 응시자 중에서 어느 정도 위치인지를 알 수 있어요. '백분위점수'는 이 표준점수에 등수를 매긴 거예요. 이 백분위에 따라 성적을 1등급에서 9등급까지 나눈 것이 '등급'이지요.

수능 국어 영역은

1 80분 동안 45문제를 푸는 시험입니다.

☑ 난이도에 따라 2점이나 3점으로 점수가 매겨진 45개의 5지 선다형 문제를 풀어야 합니다.
☑ 80분 동안 모든 문제를 푸는 것은 물론, 답지에 정답 표시까지 마쳐야 합니다.

2 학교에서 배운 내용에서 문제가 나오는 시험입니다.

☑ 국어과 교육과정(교과서)의 내용을 바탕으로 국어 능력을 측정하는 시험입니다.
☑ 초등학교부터 고등학교에 이르기까지 학교에서 배운 국어 지식들을 묻는 문제가 출제됩니다.

3 국어 능력을 평가하는 시험입니다.

어휘·개념	사실적 이해	추론적 이해	비판적 이해	적용·창의
정확하고 효과적으로 어휘를 사용하고, 교과서에서 배운 기본 개념을 이해하는 능력	말이나 글에 포함된 정보와, 정보 간의 관계, 말이나 글의 구조를 정확하게 파악하는 능력	말이나 글에 직접 나타나 있지 않은 함축적 의미, 의도, 주장 등을 논리적으로 추리하는 능력	말과 글의 내용이 타당한지, 적절한지, 가치 있는지 평가하거나 문학 작품을 비판적으로 감상하는 능력	말이나 글의 개념과 원리를 다른 상황에 적용하거나 새로운 방식으로 표현하는 능력

4 공통 과목과 선택 과목으로 이루어진 시험입니다.

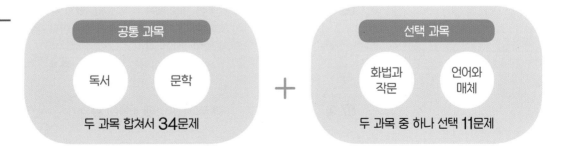

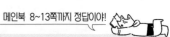
01 우주에서 온 손님, 운석

메인북 8~13쪽까지 정답이야!

✔ 읽기 전 어휘 체크

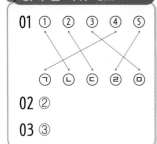

01 ① ② ③ ④ ⑤
　　ㄱ ㄴ ㄷ ㄹ ㅁ

02 ②

03 ③

문단별 핵심 태그

1문단
유성체가 지구 기권에 들어와 대기와의 마찰로 불타면서 빛을 내는 [#　유성　]

2문단
우주 속을 떠돌던 그대로의 모습이 잘 보존되어 있는 [#　운석　]

3문단
[#　태양계　]의 탄생, 지구의 기원을 추측할 수 있는 중요한 자료인 운석

4문단
[#　남극　]에서 운석이 많이 발견되는 이유와 남극의 운석을 연구할 때 주의해야 하는 이유

문제 정답 및 해설

독해 포인트 **1** 유성체 **2** 운석 **3** 태양계

01 ③
　빛을 내는 것은 운석이 아니라 유성이다. 유성은 지구의 기권을 통과할 때 대기와의 마찰에 의해 불에 타면서 빛을 낸다.
　① 운석의 가치는 **#3문단**에서, ②, ④ 유성이 떨어지는 이유와 유성체를 구성하는 물질은 **#1문단**에서, ⑤ 운석을 발견할 수 있는 장소는 **#4문단**에서 확인할 수 있다.

02 ④
　유성은 지표면으로 떨어지기 전에 대부분은 타서 없어진다. 그중 일부만 지표면으로 떨어져 운석이 된다.

03 용융각
　유성이 대기를 뚫고 진입할 때 마찰열 때문에 바깥 부분이 녹게 된다. 유성이 지표면과 가까워질수록 속도가 줄어들면서 발생하는 마찰열도 줄어들고 녹았던 바깥 부분은 식어 얇은 껍질이 된다. 이것이 용융각이다.

04 ④
　#3문단에서 운석을 연구하면 태양계와 지구의 기원에 대한 단서를 알 수 있으므로 과학자들은 운석을 찾으려고 노력한다고 하였다. 하지만 떨어지는 유성을 보고 운석을 찾으려면 아주 넓은 지역을 감시하거나 아주 좁은 범위의 대기를 관찰해야 하므로 발견하기 쉽지 않다고 하였다.

05 ④
　B를 통해 운석의 거의 대부분이 소행성에서 왔다는 사실을 알 수 있다. 태양계에서 소행성은 주로 화성과 목성 사이에 있는 소행성대에 존재한다.
　① 충돌구의 개수는 떨어진 운석의 개수와 비슷하다. 떨어진 모든 운석이 발견된 것은 아니지만, A만으로는 충돌구의 개수가 수십만 개 존재하는지 알 수 없다. ② 남극에서 발견된 운석의 개수가 그 외 지역보다 두 배 이상이다. ③ 화성에서 온 운석은 1 %밖에 되지 않으므로 연구를 하기에는 매우 적은 양이다. ⑤ 지문의 내용과 B로 보아 대부분의 운석이 소행성에서 왔다는 사실을 알 수 있다.

06 ②
　지구는 태양계에 속해 있는 천체 중 하나이다. 태양계가 지구를 포함하므로 두 어휘는 상하 관계이다. 과일 역시 사과를 포함하므로 상하 관계이다.
　①은 비슷한 의미를 갖는 유의 관계, ③, ④, ⑤는 서로 반대되는 의미를 갖는 반의 관계이다.

07 ④
　|완벽 마스터 문제| **1** 소행성 **2** 대기

02 신기루는 어떻게 생길까

✔ 읽기 전 어휘 체크

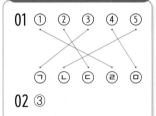

01 ① ② ③ ④ ⑤
　　　㉠ ㉡ ㉢ ㉣ ㉤

02 ③

03 이륙, 착륙

#문단별 핵심 태그

1문단
빛의 굴절 때문에 물체가 실제 있는 곳이 아닌 다른 곳에서 보이는 현상인 [# 신기루]

2문단
신기루의 종류 ① ─ 사막에서 빛이 위로 굴절되어 만들어지는 [# 아래] 신기루

3문단
신기루의 종류 ② ─ 극지방에서 빛이 아래로 굴절되어 만들어지는 [# 위] 신기루

4문단
뜨거워진 지표면의 공기가 위로 올라갈 때 빛이 굴절되면서 풍경이 아른아른하게 보이는 현상인 [# 아지랑이]

문제 정답 및 해설

메인북 14~19쪽까지 정답이야!

독해 포인트   **1** 굴절   **2** 공기   **3** 아래   **4** 위

01 신기루

#1문단 에서는 신기루의 개념과 신기루가 만들어지는 조건, 신기루가 잘 발생하는 지역을 설명하고 있다.

02 ①

아지랑이는 공기의 온도 차이가 크지 않은 곳에서 만들어지고, 신기루는 그 차이가 큰 곳에서 만들어지지만 둘 다 빛의 굴절 현상 때문에 생긴다는 공통점이 있다.

03 ①

아지랑이는 늦봄이나 여름, 햇빛이 강하게 내리쬐는 날에 발생한다고 하였다. 이에 해당하는 날씨는 ①과 ⑤이다. 이중 햇빛을 받아 지표면이 뜨거워질 수 있는 장소는 ① 오후의 아스팔트 도로 위이다.

04 ③

그림은 사막에서 나타나는 '아래 신기루'를 표현하고 있다. 아래 신기루는 지표면의 온도가 위쪽 공기의 온도보다 매우 높아서 나타나는 신기루이다.

> ─ 보기 돋보기 ─
>
> 　실제 나무에서 나오는 빛이 처음에는 아래로 향하다가 지표면의 뜨거운 공기를 만나 위로 굴절되었고, 관찰자가 인식한 나무는 지평선 아래에 거꾸로 있는 모습이므로, 아래 신기루를 나타낸 그림이다.

05 ④

아래 신기루는 빛이 위로 굴절되고, 위 신기루는 빛이 아래로 굴절된다. 이처럼 설명을 서로 바꾸는 문제가 나올 수 있으므로 유의해야 한다.

06 ②

밀도는 '크다'와 '작다', '높다'와 '낮다'를 모두 함께 쓸 수 있다. 그러나 온도는 '높다'나 '낮다'로만 표현할 수 있다.
① 길이, 넓이, 높이, 부피와 같은 겉으로 보이는 상태를 나타낼 때 두루 쓰인다. ③ 잇닿아 있는 공간이나 물체의 두 끝 사이의 길이를 나타낼 때 쓰인다. ④ 두께를 나타낼 때 쓰인다. ⑤ 물체의 지름과 굵기를 나타낼 때 쓰인다.

07 ⑤

|완벽 마스터 문제| **1** 반사   **2** 온도   **3** 신기루

03 몸속에도 시계가 있다

✓ 읽기 전 어휘 체크

01 ① ② ③ ④ ⑤
　　 ⓖ ⓛ ⓔ ⓐ ⓜ

02 ②

03 ③

#문단별 핵심 태그

1문단
18세기, 생물의 활동 리듬에 대한 첫 실험인 [# 미모사] 실험이 이루어짐

2문단
1936년, 생물 내부에 있는 [# 생체시계]가 발견됨

3문단
1970년대, 생체 시계를 조절하는 유전자인 '[# 피리어드] 유전자'를 찾아냄

4문단
1984년, [# 초파리] 실험을 통해 생체 시계의 작용 원리를 밝혀냄

5문단
생체 시계는 생장, 체온 조절, 수면 등 생물의 모든 활동에 관여하고, 지구의 규칙적인 [# 변화]에 대비함

문제 정답 및 해설

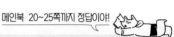
메인북 20~25쪽까지 정답이야!

독해 포인트 **1** 햇빛 **2** 생체 시계 **3** 온도 **4** 지구

01 ④

02 ⑤

03 ④

04 ④

05 ⑤

06 ⑤

07 ①

#1문단 에서 식물학자 진은 온도 변화가 미모사의 활동 리듬에 영향을 줄 것이라고 생각했지만, 실험 결과 온도 변화는 미모사의 활동 리듬에 영향을 주지 않는다는 사실을 알게 되었다.

생물은 외부의 요인에 상관없이 생물 내부에 시간을 아는 시계가 있는데, 이를 생체 시계라고 한다. 생체 시계는 빛과 온도에 따라 환경이 변하면 이에 맞춰 기존의 활동 리듬을 조절한다.

#5문단 에서 인간의 생체 시계는 체온, 수면, 감성, 인지, 혈압, 호르몬 등을 조절한다고 하였다. 한편 생체 시계는 환경을 변화시키는 것이 아니라, 환경의 변화에 따라 신체의 활동 리듬을 조절한다. 따라서 학습 환경을 개선한다는 것은 생체 시계의 역할로 적절하지 않다.

곰, 고슴도치와 같은 동물은 겨울잠을 자는데, 이는 생체 시계가 겨울이라는 규칙적인 환경 변화를 예측하고 그에 대비해 잠들고 깨어나는 등의 활동을 조절한 것이라고 볼 수 있다.
①, ② 생체 시계에 의한 능력이 아닌 생물의 종류에 따른 신체 능력과 관련된 것이다. ③ 생체 시계는 생물에 관한 것이므로 생물이 아닌 지구는 관련이 없다. ⑤ 육식 동물의 공격은 규칙적인 변화가 아니며, 일정 주기로 대비하는 것이 아니므로 생체 시계에 의해 활동 리듬을 보이는 것과 거리가 멀다.

미모사는 하루를 주기로 잎을 폈다 접었다를 반복하는데, 이는 햇빛이나 온도 같은 외부적 요인에 영향을 받는 것이 아니라 미모사 안에 있는 생체 시계가 조절하는 것이다.

▶보기 ◐◐ 돋보기
미모사의 잎이 펴지고 접힌다는 것을 나타낸 그림이다. 미모사의 잎은 햇빛이나 온도 변화 때문이 아니라 하루를 주기로 일정한 시간이 되면 펴지고 접히는 활동을 되풀이한다.

미국의 과학자들이 생체 시계의 작용 원리를 밝혀내어 그 대가로 상을 받은 것이므로 ⓜ의 '수상하였다'는 '받았다'로 바꾸는 것이 적절하다.

완벽 마스터 문제 **①** 피리어드 **②** 24시간 **③** 미모사

04 간접 광고, 피할 수 없다면

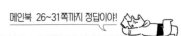

✓ 읽기 전 어휘 체크

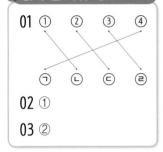

01 ① ② ③ ④
ㄱ ㄴ ㄷ ㄹ

02 ①

03 ②

#문단별 핵심 태그

1문단
상업적 의도를 감추고
특정 상품이나 기업의 이름을
광고하는 [# 간접 광고]

2문단
간접 광고의 문제점 ① ―
프로그램의 [#　질　]
하락과 시청자의 몰입 방해

3문단
간접 광고의 문제점 ② ―
특정 기업이나 상품에 대한
[#　각인　] 효과

4문단
간접 광고의 문제점 ③ ―
광고 시청에 대한 시청자의
[# 선택권]을 빼앗음

5문단
간접 광고의 문제점을
해결하기 위한 [#　정부　]
및 시청자의 태도

문제 정답 및 해설

메인북 26~31쪽까지 정답이야!

독해 포인트   1 시청자   2 각인   3 규정   4 기준

01 ⑤

간접 광고는 시청자에게 다양한 상품에 대한 정보를 제공하기 위한 광고가 아니라, 상업적 의도를 감춘 채 특정한 상품이나 기업의 이름을 프로그램에 넣어 알리는 광고를 말한다.

02 ③

#5문단 에서 프로그램 제작자는 간접 광고를 활용함으로써 제작비를 마련할 수도 있고, 프로그램을 제작하여 생기는 이익을 늘릴 수도 있으므로 간접 광고를 마다할 필요가 없다고 하였다.

03 ②

글쓴이는 간접 광고 문제를 해결하기 위한 방안으로 정부 차원과 시청자 차원에서 접근하고 있다. 2문단에서 광고비는 광고주가 내는 것으로 이를 정부가 제한할 수는 없으며, 이는 글쓴이가 주장한 내용도 아니다.

04 ①

보기 로 보아 문제점을 제시하고 그 해결 방안을 제시할 수 있는 주제여야 한다. ①은 환경 오염으로 인한 문제 상황을 보여 주고, 환경 오염을 막기 위해 해야 할 일을 제시하는 방향으로 글을 쓸 수 있으므로 적절하다.
② 농구와 배구는 둘 다 공을 가지고 하는 스포츠이므로 비슷한 점은 비교할 수 있고, 경기 규칙이나 인원에 차이가 있으므로 다른 점은 대조할 수 있다. ③ 시대별로 여성복이 변화해 온 과정에 따라 구체적인 특징을 살펴볼 수 있다. ④ 우리나라 독립 운동가들이 어떠한 방식으로 독립 운동을 펼쳤는지 사례 중심으로 보여 줄 수 있다. ⑤ 외국에 알리고 싶은 우리나라의 관광지를 하나씩 예를 들 수도 있고, 다른 나라의 관광지와 비교해 볼 수도 있다.

05 ⑤

#2문단 에서 글쓴이는 지나친 간접 광고는 프로그램의 질을 떨어뜨려 결국 시청자가 프로그램을 외면하는 상황을 만들 수도 있다고 하였다. 그러므로 간접 광고를 확대해야 한다고 한 보기 에 대해 ⑤와 같은 비판을 할 수 있다.

06 ④

'개선하다'는 '잘못된 것이나 부족한 것, 나쁜 것 등을 고쳐 더 좋게 만들다.'라는 뜻이다. ④ '허물다'는 '사회적으로 이미 주어져 있는 규율, 관습 따위를 없어지게 하다.'라는 의미이므로 적절하지 않다.

07 ①

|완벽 마스터 문제| ❶ 프로그램 ❷ 각인

05 빛 좋은 개살구, 레몬 시장

✓ 읽기 전 어휘 체크

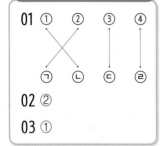

01 ① ② ③ ④
　　 ㉠ ㉡ ㉢ ㉣

02 ②

03 ①

#문단별 핵심 태그

1문단
경제학에서 불량품이나
조악하고 품질이 낮은 상품을
뜻하는 [# 　레몬 　]

2문단
경제학에서 [# 　정보 　]의
비대칭성이 일어날 때
생기는 '레몬 시장'

3문단
[# 　중고차 　] 시장에서
품질이 낮은 중고차가
팔리게 되는 과정

4문단
중고차 [# 　시장 　]의
사례를 통해 본
레몬 시장이 형성되는 이유

5문단
정보의 비대칭성을 해소하기
위한 방법인 '[# 　선별 　]'과
'신호 보내기'

문제 정답 및 해설

메인북 32~37쪽까지 정답이야!

독해 포인트 ❶ 불량품 ❷ 서비스 ❸ 선별 ❹ 신호

01 레몬 시장

이 글은 경제학에서 말하는 '레몬 시장'과 '정보의 비대칭성'을 설명하고 있다. 거래자 사이에 정보가 한쪽에만 있을 경우 시장에 왜 품질이 낮은 상품만 남게 되는지 중고차 시장을 예로 들어 알기 쉽게 설명하고 있다.

02 ⑤

정보의 비대칭성은 제품이나 서비스에 대한 정보가 거래자 중 어느 한 쪽에만 있는 경우를 뜻한다. 그러나 ⑤는 소비자가 사려는 제품에 대한 정보를 모두 확인하고 있으므로 정보의 비대칭성이 나타났다고 보기 어렵다.

03 ②

'빛 좋은 개살구'는 겉보기에는 먹음직스러운 빛깔을 띠고 있지만 맛은 없는 개살구라는 뜻으로, 겉만 그럴듯하고 실속이 없는 경우를 비유적으로 이르는 말이다.
①은 '도토리 키 재기', ③은 '콩 심은 데 콩 나고 팥 심은 데 팥 난다', ④는 '소 잃고 외양간 고친다', ⑤는 '그림의 떡'이라는 속담과 관련 있다.

04 ②

'선별'은 정보가 없는 쪽에서 정보를 얻기 위한 방법이므로 ㉠과 ㉢이 이에 해당한다. '신호 보내기'는 정보가 많은 쪽에서 자신의 제품이나 서비스를 선택하는 것이 잘못된 선택이 아니라는 것을 적극적으로 홍보하는 것이므로 ㉡과 ㉣이 이에 해당한다.

05 ③

#3문단에서 품질이 좋은 차를 팔려는 판매자는 자신이 생각한 금액보다 낮으면 차를 팔려고 하지 않는다고 하였다.
①, ② 중고차 시장에서 중고차의 판매자는 자신의 차에 대한 정보를 잘 알고 있으나, 구매자는 차에 대한 정보가 부족하므로 정보의 비대칭성이 나타난다. ④, ⑤ 정보가 부족한 구매자는 평균 가격을 제시하게 되고, 결국 품질이 낮은 차의 판매자는 자신이 생각한 가격보다 평균 가격이 높으므로 차를 팔게 된다. 품질이 나쁜 차만 팔리게 되면 구매자는 중고차 시장에는 질이 나쁜 차만 있다고 생각하여 가격을 더 낮게 부르게 되고, 그러면 그 가격이라도 받으려는 더 나쁜 품질의 차만 남게 되는 것이다.

06 ④

ⓐ의 '바로'는 '다름이 아니라 곧.'이라는 뜻으로, ①, ②, ③, ⑤의 '바로'는 모두 ⓐ와 같은 의미로 쓰였다. ④의 '바로'는 '일의 이치나 원리, 원칙 등에 어긋나지 않게.'라는 의미이다.

07 ④

|완벽 마스터 문제| ❶ 선별 ❷ 레몬 시장

06 브랜드를 보호하는 두 가지 이론

✔ 읽기 전 어휘 체크

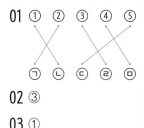

01 ① ② ③ ④ ⑤
　　　㉠ ㉡ ㉢ ㉣ ㉤

02 ③

03 ①

문단별 핵심 태그

1문단
브랜드를 보호하기 위한
이론인 [# 　혼동　]
이론과 희석화 이론

2문단
동종 상품에서 브랜드 혼동을
일으키는 경우를 상표권 침해로
보는 [# 　혼동　] 이론

3문단
혼동 이론에서
[# 　브랜드]의 상표권을
침해하는 구체적인 사례

4문단
혼동을 일으키지 않더라도
상표권을 침해할 수 있다고 보는
[# 　희석화] 이론

5문단
브랜드 약화에 의한 희석과
브랜드 [# 　손상]에 의한
희석

문제 정답 및 해설

메인북 38~43쪽까지 정답이야!

독해 포인트 　**1** 혼동　**2** 희석화　**3** 약화　**4** 손상

01 브랜드

#1문단 에서 브랜드의 개념과 역할을 설명하고 있다. 브랜드는 상표의 다른 말로, 특정 상품이나 서비스의 출처를 표시한다. 소비자는 특정 브랜드가 부착된 상품을 보고 그 외의 상품과 구별하게 된다.

02 ②

혼동 이론은 동종 상품에서 출처에 혼동을 주는 경우에 규제하고, 희석화 이론은 이종 상품이어도 기존의 브랜드 이미지나 인지도를 약화시키거나 손상시키는 경우 상표권 침해로 본다. 따라서 혼동 이론은 브랜드의 이미지보다 식별이 어려운 경우에 주목하는 이론이다.

03 ⑤

혼동 이론에서는 운동화와 가방은 상품의 종류가 다르기 때문에 혼동을 일으키지 않는다고 본다. 그리하여 '블루윙' 운동화와 '블루윙' 가방을 동일하거나 유사한 브랜드로 보지 않는다.

04 ④

'브랜드 약화에 의한 희석'은 이종 상품과 관련된다. ④는 동종 상품에 동일한 브랜드를 사용하여 혼동을 일으키는 경우이므로, 혼동 이론에서 상표권을 보호하는 경우의 예로 들 수 있다.
①은 옷과 음식, ②는 문제집과 가전제품, ③은 운동화와 음식, ⑤는 게임 회사와 의류 쇼핑 사이트로, 서로 다른 종류의 상품이나 서비스에 해당하는 예이다.

05 ⑤

희석화 이론에 따르면 이종 상품에 사용된 브랜드라 하더라도 기존 브랜드의 이미지에 손상을 주었다면 상표권을 침해한 것으로 볼 수 있다.

▶ 보기 👓 돋보기 ◀
　　제시된 사례는 '불리다'라는 브랜드를 적금 상품에 이미 사용하고 있던 A 은행이, 나중에 '불리다' 브랜드를 사용한 B 기업 때문에 타격을 입고 있는 상황이다. A 은행은 브랜드 이미지에 손상을 입고 있으므로, '브랜드 손상에 의한 희석' 현상의 예로 볼 수 있다.

06 ④

바로 앞의 말이 '조잡하고'이고, 뒤의 내용은 소비자가 실망한다는 내용이므로 가방의 질이 좋지 못하다는 뜻의 어휘가 와야 한다. 여기에는 '형편없을'이나 '보잘것없을', '나쁠' 정도가 오는 것이 적절하다. 이와 같은 문제가 나올 경우에는 빈칸에 어휘를 직접 넣어 읽어 보면서 앞뒤 문맥에 어울리는지 파악한다.

07 ②

|완벽 마스터 문제|　**1** 희석화　**2** 브랜드　**3** 혼동

07 OLED 디스플레이 기술

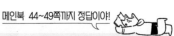

읽기 전 어휘 체크

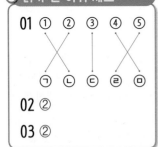

01 ① ② ③ ④ ⑤
   ㉠ ㉡ ㉢ ㉣ ㉤
02 ②
03 ②

#문단별 핵심 태그

1문단
LCD의 개념 및 작동 원리 —
백라이트에서 [# 빛]을
공급하여 화면을 구성함

2문단
OLED의 개념 및 작동 원리 —
스스로 [# 빛]을 내는
유기 물질이 화면을 구성함

3문단
OLED 디스플레이의 특징 ① —
[# 시야각]이 넓어 화면
왜곡이 생기지 않음

4문단
OLED 디스플레이의 특징 ② —
높은 수준의 [# 명암비]를
구현함

5문단
OLED 디스플레이의 특징 ③ —
화면의 응답 속도가 매우 빨라
[# 잔상]이 생기지 않음

문제 정답 및 해설

메인북 44~49쪽까지 정답이야!

독해 포인트 **1** 백라이트 **2** 왜곡 **3** 명암비 **4** 잔상

01 ③

LCD의 구조와 작동 원리 및 장점은 #1문단 에서, OLED 디스플레이의 작동 원리는 #2문단 에서, OLED 디스플레이의 특징과 장점은 #2문단 ~ #5문단 에서 각각 확인할 수 있다. 하지만 OLED 디스플레이에 어떤 종류가 있는지를 밝힌 부분은 제시되어 있지 않다.

02 백라이트

LCD는 스스로 빛을 내지 못하므로 화면을 구성하려면 빛을 공급하는 백라이트가 반드시 필요하다. 제시된 그림은 LCD의 구조와 원리를 나타내는 것으로, #1문단 을 보면 LCD 가장 뒤에 있는 것이 백라이트임을 알 수 있다.

03 ④

OLED 디스플레이는 전류의 흐름을 통하여 전기 에너지를 빛에너지로 변환하여 그 빛을 우리 눈에 전달하므로, 빛에너지가 전기에너지로 변환된다는 설명은 적절하지 않다. 이처럼 용어의 순서를 바꾸어 문제를 내는 경우가 많으므로 일이 일어난 앞뒤 관계를 꼼꼼하게 살펴야 한다.

04 ②

화질이 좋다는 것은 텔레비전이나 모니터의 화면의 바탕이 아주 섬세하고 선명하다는 뜻이다. OLED 디스플레이는 넓은 시야각, 높은 명암비, 잔상 없는 화면으로 정확하고 선명한 색상을 구현하므로 LCD보다 화질이 더 좋다고 할 수 있다.

05 ⑤

움직이는 빠른 화면을 볼 때에는 응답 속도가 빠른 B로 보아야 더 선명하고(ㄱ), 어두운 배경에 묻힌 회색빛의 사물은 명암비가 높은 B 화면에서 더 잘 보인다(ㄴ).

> **보기 돋보기**
> A는 잔상이 남는 화면으로 LCD이고, B는 잔상이 없는 화면으로 보아 OLED 디스플레이임을 알 수 있다.

06 ③

'작용하다'는 '무엇에게 어떠한 현상을 일으키거나 영향을 미치다.'라는 의미이므로 '발휘할'은 '작용할'로 바꾸어 쓰기에 적절하지 않다. '나타낼'이나 '드러낼' 정도로 바꾸어 쓰는 것이 적절하다.
①의 '대체하다'는 '다른 것으로 대신하다.', ②의 '적용되다'는 '알맞게 이용되거나 맞추어져 쓰이다.', ④의 '변형하다'는 '모양이나 형태가 바뀌어 달라지거나 바꾸어 달라지게 하다.', ⑤의 '쫓아가다'는 '어떤 사람이나 물체 따위의 뒤를 급히 따라가다.'라는 의미를 지녀 바꾸어 쓴 말들이 적절하다.

07 ⑤

|완벽 마스터 문제| **1** 시야각 **2** 명암비 **3** 백라이트

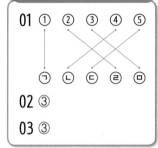

08 가마솥부터 전기밥솥까지

☑ 읽기 전 어휘 체크

01 ① ② ③ ④ ⑤

㉠ ㉡ ㉢ ㉣ ㉤

02 ③

03 ③

#문단별 핵심 태그

1문단
솥뚜껑과 솥 바닥에 담긴
원리로 최상의 밥맛을 내는
[# 가마솥]

2문단
내솥 밑바닥의 [# 열판]
을 가열하는 방식인
열판식 전기밥솥

3문단
[# 내솥] 전체를
입체적으로 달구어 밥을 짓는
IH 전기밥솥

4문단
[# 뚜껑]을 움직이지
않게 하여 내부의 압력을
증가시키는 IH 전기 압력 밥솥

5문단
다양한 기술이 개발되어
[# 가마솥 밥]의 밥맛까지도
구현할 수 있게 된 전기밥솥

문제 정답 및 해설

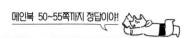
메인북 50~55쪽까지 정답이야!

독해 포인트 **1** 수증기 **2** 열판 **3** 외솥 **4** 압력

01 ⑤

#1문단 에서 가마솥의 뚜껑은 그 무게를 전체의 삼분의 일이나 되도록 무겁게 만든다고 하였다. 이처럼 솥뚜껑을 무겁게 만들면 뚜껑이 쉽게 열리지 않아 수증기를 솥 안에 가두어 내부의 압력을 높게 유지할 수 있다.

02 열판식 전기밥솥,
IH 전기 압력 밥솥

열판식 전기밥솥은 내솥 밑바닥에만 열을 가해 쌀이 골고루 익지 않는다는 단점이 있었다. 이를 보완하여 솥 전체에 열을 가하는 IH 전기밥솥이 등장하였고, 이를 토대로 솥 안의 압력을 높이는 IH 전기 압력 밥솥이 등장하였다.

03 ④

열판식 전기밥솥은 열판을 가열하여 밥을 짓는 것으로, 한 번에 많은 양의 밥을 할 경우 열판과 가까운 곳은 쌀이 잘 익지만 열판과 먼 곳은 쌀이 골고루 익지 않는다.

04 ③

#5문단 에서는 기술의 발전으로 전기밥솥으로 가마솥 밥의 밥맛까지도 구현할 수 있게 되었다고 하였다.
① 열과 압력을 최상으로 조절한 가마솥과 IH 전기 압력 밥솥이 각각 밥맛이 좋으며 차지고 쫀득쫀득한 밥을 짓는다고 한 것에서 알 수 있다. ② 전기밥솥은 취사가 완료되면 자동으로 보온 상태로 넘어간다고 하였다. ④ 전기밥솥에 사용된 기술이 점점 발전하면서 가마솥 밥의 밥맛까지도 낼 수 있다고 하였다. ⑤ 전기밥솥에는 무거운 솥뚜껑으로 수증기가 빠져 나가지 못하게 하고 열이 입체적으로 전달되는 가마솥의 원리가 적용되었다.

05 ⑤

전기밥솥의 종류에 따른 뜸 들이기의 시간은 이 글을 통해 알 수 없으나, IH 전기 압력 밥솥의 취사 시간이 줄어든다는 점에서 뜸 들이기가 다른 전기밥솥에 비해 오래 걸리지는 않으리라는 사실을 예측할 수 있다.

06 ①

㉠ '외부로 내보내'는 솥 안에 있는 수증기를 솥 밖으로 나가게 한다는 의미이다. '배출하다'는 '안에서 밖으로 밀어 내보내다.'라는 의미이므로 ㉠과 바꾸어 쓰기에 적절하다.
② '노출하다'는 '겉으로 드러내다.'라는 뜻이다. ③ '표출하다'는 '겉으로 나타내다.'라는 뜻이다. ④ '탈출하다'는 '어떤 상황이나 구속 따위에서 빠져나오다.'라는 뜻이다. ⑤ '수출하다'는 '국내의 상품이나 기술을 외국으로 팔아 내보내다.'라는 뜻이다.

07 ④

|완벽 마스터 문제| **1** 압력 **2** 금 **3** 열

09 대용량 이메일을 보내려면

✅ 읽기 전 어휘 체크

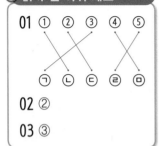

01 ① ② ③ ④ ⑤
　　㉠ ㉡ ㉢ ㉣ ㉤

02 ②

03 ③

#문단별 핵심 태그

1문단
[# 네트워크]상에서
정보를 나누어 전달하는 방식인
'패킷 교환 방식' 소개

2문단
'패킷'의 개념 및 패킷을
구성하는 [# 헤더부]와
데이터 영역에 들어 있는 정보

3문단
패킷 교환 과정 ① - 패킷이
[# 버퍼]와 노드로
이루어진 패킷 교환망을 지남

4문단
패킷 교환 과정 ② -
[# 수신지]에 도착한
패킷은 일련번호대로 재결합됨

5문단
[# 패킷] 교환 방식이
기존의 정보 전송 방식에
비해 지닌 장점

문제 정답 및 해설

독해 포인트　❶ 패킷　❷ 교환망　❸ 데이터　❹ 기종

01 ③

이 글은 네트워크상에서 정보를 전송하는 원리인 패킷 교환 방식의 과정과 그 장점을 설명하고 있다.

02 ②

전달하려는 메시지 자체를 가리키는 말은 '데이터'이다. '헤더'는 해당 메시지가 가야 할 주소, 패킷의 일련번호 등의 정보가 담겨 있는 영역이다.

03 ③

이 글은 대용량 데이터도 빠르게 전송할 수 있는 패킷 교환 방식을 설명하고 있다. 이 방식은 데이터를 조각조각으로 나누어 전송한 후 수신지에서 재결합되게 하는 방식이다.

04 ①

#4문단 을 보면, 패킷이 수신지에서 일련번호 순서대로 재결합되지 못하거나, 모든 패킷이 전송되지 않을 경우 데이터 전송에 실패하거나 오류가 생길 수 있다.

05 ⑤

패킷은 버퍼에 먼저 도착한 순서대로 내보내지므로, 일련번호의 순서에 상관없이 개별적으로 수신지에 도착하게 된다. 패킷이 일련번호의 순서대로 재결합되는 것은 수신지에 모든 패킷들이 도착한 후이다.
①, ② 패킷은 헤더부와 데이터 영역으로 이루어져 있다. 헤더부에는 최종 수신지의 주소와 패킷의 일련번호 등에 관한 정보가, 데이터 영역에는 메시지 자체와 에러 체크 데이터가 들어 있다.
③, ④ 패킷 교환망은 버퍼와 노드로 이루어져 있다. 버퍼는 기억 장치로 패킷이 한꺼번에 많이 나가 경로가 막히지 않도록 패킷을 잠시 저장했다가 순서대로 내보낸다. 노드는 통신 지점으로, 여러 개의 경로가 연결되어 있다.

> **보기 돋보기**
> 그림을 통해 발신지에서 보낸 메시지가 여러 개의 패킷으로 나뉘었다가 수신지에 도착하여 다시 원래의 메시지가 되는 과정을 알 수 있다.

06 ②

㉠의 '나누다'는 '하나를 둘 이상으로 가르다.'라는 의미로 ②와 같은 의미이다.
①은 '나눗셈을 하다.'라는 뜻, ③은 '음식을 함께 먹거나 갈라 먹다.'라는 뜻, ④, ⑤는 '여러 가지가 섞인 것을 구분하여 분류하다.'라는 뜻이다.

07 ④

|완벽 마스터 문제|　❶ 노드　❷ 일련번호　❸ 과부하

10 윤리학과 윤리 공동체의 변화

읽기 전 어휘 체크

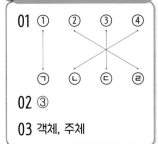

01 ① ② ③ ④
　　⊙ ⓒ ⓒ ⓔ

02 ③

03 객체, 주체

#문단별 핵심 태그

가
사회적인 동물인 인간은
필연적으로 [# 윤리적]
동물임

나
윤리학은 판단의 잣대인
[# 규범]을 제시하고
규범의 타당성을 뒷받침함

다
규범의 타당성은
[# 윤리] 공동체의
범위를 어디까지로 하느냐에
따라 달라짐

라
고대 그리스의 아리스토텔레스
윤리학에서는 [# 시민]
계급인 성인 남자만
윤리 공동체에 포함함

마
근대의 인류 평등사상에서는
모든 [# 인류]를
윤리 공동체에 포함함

바
현대의 [# 환경]
윤리학에서는 모든 생명체를
윤리 공동체에 포함함

문제 정답 및 해설

메인북 62~67쪽까지 정답이야!

독해 포인트　**1** 윤리학　**2** 시민　**3** 공동체　**4** 생명체

01 ⑤

이 글에서는 윤리학의 변화에 따른 윤리 공동체의 범위가 어떻게 확대되어 왔는지를 살펴보고 있다. 윤리학 외에 다른 학문에 대해서는 다루고 있지 않다.
① #가 에서 인간은 사회적 동물이기에 필연적으로 윤리적 동물이라고 하였다. ② #나 에서 윤리학의 가장 중요한 역할을 밝히고 있다. ③, ④ #다 ~ #바 를 통해 윤리학이 변화하면서 윤리적 공동체의 범위가 변화하고, 이에 따라 윤리적 객체에 대한 윤리적 주체의 인식도 변화하고 있음을 보여 주고 있다.

02 ③

#다 에서 모든 사람과 모든 상황에 적용할 수 있는 보편적 윤리 규범이 객관적으로 존재하는지는 확실하게 대답하기 어렵고 하였다.

03 ⑤

#가 에서 인간은 공동체 안의 다른 인간과 함께 살아가는 사회적 동물이므로 윤리적일 수밖에 없다고 하였다. 또 #나 에서 윤리적 주체인 '나'는 윤리적 객체인 타자에 대해 어떤 선한 마음을 먹고 어떤 옳은 행동을 할 것인지를 판단해야 한다고 하였다. 따라서 윤리적 객체인 다른 사람을 배려하는 ⑤의 모습이 윤리적 주체의 바람직한 모습에 가장 가깝다.

04 ④

환경 윤리학에서는 고라니와 같이 인간 이외의 생명체도 윤리 공동체에 포함하며 윤리적 배려의 대상이 된다고 여긴다. 따라서 환경 윤리학의 관점에서는 인간이 고라니의 삶과 행복도 고려하여 함께 살아가야 한다고 반응할 것이다.

05 ③

고대 그리스의 윤리 공동체에는 시민 계급인 성인 남자만 포함된다. 여자나 외국인, 노예 계급은 포함되지 않았다.

　　▶ 보기 돋보기 ◀
　　윤리학의 변화에 따라 윤리 공동체의 범위가 확대되고 있음을 보여 주는 그림이다.

06 ②

⊙ '주체'와 ⓒ '객체'는 어휘의 의미가 서로 반대되는 관계라고 할 수 있다. ①, ③, ④, ⑤ 역시 서로 반대되는 의미로 쓰이는 어휘들이지만, ②는 어휘의 의미가 서로 유사한 관계이다.

07 ④

|완벽 마스터 문제|　**1** 평등사상　**2** 환경　**3** 시민

11 안다는 것은 무엇인가

✓ 읽기 전 어휘 체크

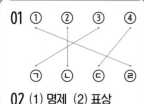

01 ① ② ③ ④

① ⓛ ⓒ ⓓ

02 (1) 명제 (2) 표상

03 ③

#문단별 핵심 태그

1문단
[# 절차적] 지식과
표상적 지식의 개념

2문단
절차적 지식의 특성
─ 훈련을 통해 얻고, 특정
[# 정보]가 필요하지
않음

3문단
표상적 지식의 특성
─ 일을 수행하는
[# 능력]과 관련 없음

4문단
표상적 지식의 유형 ①
─ 감각 경험에 의존하는
[# 경험적] 지식

5문단
표상적 지식의 유형 ②
─ 감각 경험에 의존하지 않는
[# 선험적] 지식

문제 정답 및 해설

메인북 68~73쪽까지 정답이야!

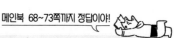

독해 포인트 **1** 능력 **2** 정보 **3** 훈련 **4** 경험

01 ①

이 글은 인식론에서 다루고 있는 지식의 유형을 먼저 절차적 지식과 표상적 지식으로 나누고, 표상적 지식을 다시 경험적 지식과 선험적 지식으로 나누어 설명하고 있다. 또한 이 글은 절차적 지식, 표상적 지식, 경험적 지식, 선험적 지식 등의 추상적인 개념을 '자전거 타기', '1+1=2'와 같은 구체적인 예를 들어 알기 쉽게 설명하고 있다.

02 ③

㉠ '경험적 지식'과 ㉡ '선험적 지식'은 모두 표상적 지식으로, 표상적 지식은 어떤 대상에 대한 정보를 가지고 있음을 의미한다. 훈련을 통하여 얻는 지식은 절차적 지식이다.

03 ③

표상적 지식은 어떤 일을 수행하는 능력과는 직접적인 관련이 없다. 그런데 수영을 할 줄 안다는 것은 수영할 수 있는 능력을 가지고 있다는 것을 의미하므로, ③의 '안다'는 어떤 일을 수행할 수 있는 능력을 가지고 있음을 의미하는 절차적 지식에 해당한다.

04 경험적 지식

#4문단 에서 감각 경험에서 얻은 증거에 의존하는 지식을 경험적 지식이라고 하였고, '그는 이 사과가 둥글다는 것을 안다.'를 그 예로 들었다.

05 ②

선험적 지식은 감각 경험에서 얻은 증거에 의존하지 않는 표상적 지식을 말한다. 그런데 ②의 경기 영상을 보고 야구에 대한 정보를 얻는 것은 감각 경험을 통해 지식을 얻는 것이므로, 선험적 지식이 아니라 경험적 지식을 얻는 것에 해당한다.

> ▶ 보기 👀 돋보기 ◀
>
> 민기의 행동을 통해 절차적 지식과 표상적 지식의 차이를 보여 주고 있다. 민기의 행동 중 책과 영상을 통해 야구에 대한 정보를 수집하여 아는 것은 대상에 대한 정보를 가지게 되는 것으로 표상적 지식에 해당한다. 이는 야구를 실제로 수행하는 능력, 즉 야구에 대한 절차적 지식과는 관련이 없다.

06 ②

'명제'는 어떤 문제에 대해 논리적인 판단 내용과 주장을 언어나 기호로 표시한 것으로 참과 거짓을 판단할 수 있는 것을 뜻한다. ②는 참과 거짓을 판단할 수 없으므로 명제가 아니다. ①, ⑤는 참인 명제이고, ③, ④는 거짓인 명제이다.

07 ④

|완벽 마스터 문제| **1** 지식 **2** 정보 **3** 표상적

12 루소의 사회 계약설

메인북 74~79쪽까지 정답이야!

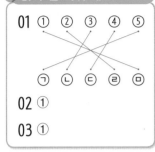

읽기 전 어휘 체크

01 ① ② ③ ④ ⑤
ㄱ ㄴ ㄷ ㄹ ㅁ

02 ①

03 ①

#문단별 핵심 태그

1문단
[#사회 계약설]의 개념과 사회 계약설을 주장한 사상가들

2문단
루소 이전 사상가들의 사회 계약 – [# 지배층]과 민중 사이의 수직적 계약

3문단
루소의 사회 계약 – 자유롭고 평등한 사람들이 합의한 [# 수평적] 계약

4문단
국가 권력의 주인을 [# 민중]이라고 본 루소의 주장이 갖는 의의

문제 정답 및 해설

독해 포인트 **1** 계약 **2** 국가 **3** 폭력 **4** 민중

01 ④

#1문단 에서 사회 계약을 통해 만들어진 국가는 개인의 자유와 권리를 지키기 위해 권력을 행사할 수 있고, 공공의 이익을 위해 개인의 자유를 제한할 수도 있다고 하였다.

02 ④

이 글의 글쓴이는 루소 이전의 사회 계약설에 대해 민중을 폭력으로 복종시키고 왕이 가진 권력을 정당화하는 데 활용되었다며 부정적으로 평가하고 있다. 반면 루소의 사회 계약설은 민중의 자유와 권리를 존중하고 현대 민주주의의 바탕이 되었다며 긍정적으로 평가하고 있다.

03 ⑤

#4문단 에서 루소의 사회 계약설은 현대 민주주의의 바탕이 되었다며 그 의의를 밝히고 있다.

04 ④

#3문단 에서 루소는 사람들이 개인과 사회의 이익을 위해 누가 시켜서가 아니라 스스로 사회 질서를 유지한다고 하였으며(ㄷ), '사회 계약' 역시 통제가 아닌 협동을 위한 계약이라고 하였다(ㄹ). 또 #4문단 에서 루소는 권력이 민중에게 있다고 하였다(ㄴ).
ㄱ. 민중을 무시하고 이기적인 존재로 본 것은 루소가 아니라 루소 이전의 사상가들이다.

05 ⑤

특별한 한두 사람이 권력을 가지고 세상을 지배하는 것이 옳다고 믿은 것은 루소 이전의 사상가들이다. 루소는 평범한 사람들도 서로 도우면 한 차원 더 높은 질서를 만들 수 있다고 믿었다.

▶보기 돋보기◀
> 제시된 국가는 왕이 법에 따라 통치하지 않고 마음대로 권력을 행사함으로써 민중의 자유와 권리를 침해하고 있다.

06 ④

㉠ '불러일으켜'는 '어떤 마음, 행동, 상태를 일어나게 하다.'를 뜻한다. 나머지는 모두 이와 유사한 뜻이나, '사그라뜨려'는 '삭아서 없어지게 하다.'를 뜻하므로 반대되는 뜻이라고 볼 수 있다.
① '일으켜'는 '생리적인거나 심리적인 현상을 생겨나게 하다.', ② '자아내어'는 '어떤 감정이나 생각, 웃음, 눈물이 저절로 생기거나 나오도록 일으켜 내다.', ③ '유발하여'는 '다른 일을 일어나게 하다.', ⑤ '일어나게 하여'는 '어떤 마음이 생겨나게 하다.'이므로 모두 유사한 의미이다.

07 ②

|완벽 마스터 문제| **1** 루소 **2** 왕 **3** 이익

13 한국 전통 음악의 특징

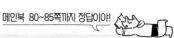
읽기 전 어휘 체크

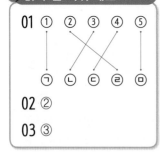

01 ① ② ③ ④ ⑤
    ㉠ ㉡ ㉢ ㉣ ㉤

02 ②

03 ③

#문단별 핵심 태그

1문단
한국 [# 전통] 음악은
서양 음악이나 인접한 동양권의
음악과 구별되는 특징을 지님

2문단
한국 전통 음악의 특징 ① —
[# 선율]은 각 음들의
기능을 최대한 살림

3문단
한국 전통 음악의 특징 ② —
[# 장단]은 박자, 빠르기,
강약, 리듬 주기의 개념을 포함함

4문단
한국 전통 음악의 특징 ③ —
[# 발성]은 공명을
최소화하고 재료의 본질을 살려
소리를 냄

5문단
한국 전통 음악의 특징 ④ —
[# 합주]는 악기가 지닌
특성과 시김새를 최대한 살림

문제 정답 및 해설

독해 포인트 **1** 선율 **2** 강박 **3** 공명 **4** 화성

01 ⑤

02 ④

03 ②

04 ⑤

05 시김새

06 ①

07 ②

#1문단의 마지막 문장에서 한국 전통 음악의 특징을 선율·장단·발성·합주의 네 영역으로 살펴보자고 하였다. 독주는 한 사람이 악기를 연주하는 것을 말한다.

#1문단에서 한국 전통 음악은 중국 음악과 거의 비슷하다고 여겨지는 경우가 있지만, 서양 음악은 물론 인접한 동양권의 음악과도 구별되는 뚜렷한 특징을 지니고 있다고 하였다.

#2문단을 통해 서양 음악에 비해 한국 전통 음악은 화성이 발달하지는 않았지만, 선율과 그것을 부르는 창법을 통해 서양 음악 못지않게 풍부한 노래를 구사할 수 있음을 알 수 있다.

#5문단을 보면, 한국 전통 음악에서 합주의 선율적인 뼈대는 같으나, 각 악기의 음색과 연주법이 다르기 때문에 음악이 풍성해진다고 하였다.
① 한국 전통 음악은 인접한 동양권의 음악과 뚜렷하게 구별된다고 하였다. ② 한국 전통 음악은 장단이 박자의 개념을 포함하는데, 가장 느린 진양조부터 가장 빠른 휘모리까지 다양하다고 하였다. ③ 한국 전통 음악에서는 악기의 재료를 고르는 것과 목을 단련하는 것을 모두 중요하게 여긴다고 하였다. ④ 한국 전통 음악은 시김새가 구사된 선율로 서양 음악 못지않게 풍부한 표현력을 보여 준다고 하였다.

#2문단에서 한국 전통 음악의 선율은 음을 꺾어 내리는 등의 갖가지 시김새를 구사하여 선율을 만든다고 하였다. 보기는 '새야 새야'에 '애'와 '아'를 넣어 꾸며 부르는 방법을 설명하고 있는 학습 자료이다.

▶보기 돋보기

　제시된 학습 자료는 한국 전통 음악의 선율이 때, 장소, 개인의 취향에 따라 다양하게 변화할 수 있음을 알려 준다. 또한 '새야 새야'라는 부분을 시김새를 통해 다양한 선율을 만들어 불러 보도록 하고 있다.

'확연히'는 '아주 확실하게.'라는 뜻이다. '명확하게'는 '명백하고 확실하게.'라는 뜻이므로 바꾸어 쓰기에 적절하다.
②~⑤는 모두 '확연히'와는 반대되는 뜻이다. ② '흐릿하게'는 '조금 흐린 듯하게.', ③ '애매하게'는 '희미하여 분명하지 아니하게.', ④ '희미하게'는 '분명하지 못하고 어렴풋하게.', ⑤ '모호하게'는 '말이나 태도가 흐리터분하여 분명하지 않게.'의 뜻이다.

|완벽 마스터 문제| **1** 발성 **2** 진양조 **3** 판소리

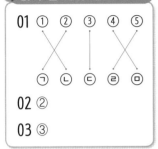

14 새로운 예술, 아르 누보

읽기 전 어휘 체크

01 ① ② ③ ④ ⑤
　　 ㉠ ㉡ ㉢ ㉣ ㉤

02 ②

03 ③

#문단별 핵심 태그

가

[# 산업] 혁명으로
인간의 감성이 위축되는 것에
대한 예술가들의 성찰과 저항

나

19세기 중반 영국에서 시작된
[# 미술] 공예 운동이
발전한 아르 누보 양식

다

아르 누보 양식의 특징 ―
[# 수작업]; 자연의 곡선과
생동감 구현, 상징주의 작품 경향

라

예술 전반으로 확산되고 특히
[# 공예] 분야에 직접
적으로 반영된 아르 누보 양식

마

[# 기술] 진보의 부정적
영향을 경계하고 성찰하는
예술적 환경을 만든 아르 누보

문제 정답 및 해설

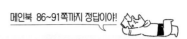

독해 포인트　　**1** 예술　**2** 기술　**3** 기계　**4** 곡선

01 아르 누보

프랑스어로 '아르(art)'는 '예술', '누보(nouveau)'는 '새로운'이라는 뜻이다.

02 ⑤

과학과 기술이 발전하면서 인간의 감성을 자극하는 예술과 창작 환경이 위축되자, 예술가들은 이에 대해 성찰하며 새로운 예술을 모색하였다. '아르 누보'는 이러한 움직임에서 비롯되었다.
① 아르 누보는 예술이 대중의 관심에서 멀어지게 된 상황을 성찰하면서 나타난 양식이므로 소수를 위한 예술 양식이라고 보기 어렵다. ② 아르 누보는 예술 작품을 대량으로 생산하는 산업화에 대한 비판적 시각에서 비롯된 것이다. ③ 아르 누보는 19세기 중반 영국의 미술 공예 운동을 기반으로 등장하였고, 20세기 초반에 이르러 쇠퇴하였다. ④ 아르 누보는 산업 혁명을 비판적으로 바라보았으며, 그리하여 기계를 부정하고 수작업을 통해 예술의 가치를 구현하고자 하였다.

03 ①

#가 에서는 아르 누보가 등장하게 된 배경을 소개하고 있다. 문단의 중심 문장은 주로 맨 앞이나 맨 뒤에 나오는 경우가 많으므로, 이와 같은 유형의 문제를 풀 때에는 중심 문장부터 찾는 것이 좋다.

04 ①

#다 에서 예술가들은 예술 환경이 위축된 이유가 산업화로 인한 물질주의 때문이라고 보고, 이를 극복하기 위한 방법을 자연에서 찾았다고 하였다.

05 ①

아르 누보는 기계 작업이 아니라 수작업을 통해 이루어지는데, 「말벌」 역시 기계로는 구현하기 어려운 자연의 이미지에 대한 섬세한 표현을 수작업으로 구현해 낸 것이다.

06 ④

'무엇이 어떠하다.'는 주어와 서술어로 이루어져 있다. 따라서 어휘를 두 부분으로 나누었을 때 '무엇이 어떠하다.'의 구성으로 쓸 수 있는 것은 '낯이 설다.'뿐이다.
① 손쉽다. ➡ 손에 쉽다. ② 본받다 ➡ 본을 받다. ③ 뛰놀다. ➡ 뛰어 놀다. ⑤ 혼내다. ➡ 혼을 내다.

07 ⑤

|완벽 마스터 문제| **1** 새로운 **2** 회화

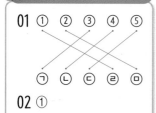

15 가장 창의적인 건축가, 가우디

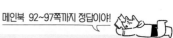

✓ 읽기 전 어휘 체크

01 ① ② ③ ④ ⑤

⑦ ⓛ ⓒ ⓔ ⑩

02 ①

03 (1) ⓛ (2) ⑦

#문단별 핵심 태그

1문단
20세기가 낳은 가장 천재적인
건축가로 평가받는 안토니오
[# 가우디]

2문단
[# 채광]과 환기 문제를
해결할 수 있도록 설계된
「카사 밀라」

3문단
외벽이 부드러운
[# 곡선]으로
이루어진 「카사 밀라」

4문단
[# 자연]에 바탕을 두고
설계된 「구엘 공원」

5문단
[# 현수선]의 원리가
적용된 「사그라다 파밀리아」

문제 정답 및 해설

독해 포인트　**1** 구엘　**2** 첨탑　**3** 지붕

01 ②

#1문단 에서 가우디는 개성 넘치는 창의력으로 유일무이한 건축물을 만들어 냈다고 하였고, #2문단 ~ #5문단 에서 그의 창의력이 발휘된 바르셀로나의 다양한 건축물과 그 특징을 제시하고 있으므로 바르셀로나는 가우디의 창의력을 보여 주는 예술 도시라고 할 수 있다.

02 ⑤

이 글에는 가우디가 설계한 대표적인 건축물인 「카사 밀라」, 「구엘 공원」, 「사그라다 파밀리아」의 특징이 설명되어 있다. 그러나 이 건축물들의 단점을 다루고 있지는 않다.
①은 #1문단 에서, ②와 ③은 #2문단 ~ #5문단 에서, ④는 #1문단 과 #2문단 에서 알 수 있는 정보이다.

03 ④

'유려한'은 '글이나 말, 곡선 등이 거침없이 미끈하고 아름다운.'이라는 뜻이므로 직선으로 날카롭게 만들어졌다는 내용과는 어울리지 않는다.

04 ①

#2문단 을 통해 볼 때, 수직과 수평을 중심으로 했다는 것은 직선이 많이 쓰였다는 것이다. 이는 고전 건축이 엄격해 보이는 이유이기도 하다. 가우디는 이러한 직선 대신 곡선을 사용하여 건축물이 생기 있고 활기가 느껴지도록 디자인하였다.

05 ⑤

「카사 밀라」는 밀라 부부가 가우디에게 의뢰하여 지은 고급 빌라이다. 원래 이 빌라가 지어질 위치는 바르셀로나의 주거 블록 모퉁이어서 햇빛과 바람이 잘 들지 않았다. 가우디는 이 문제를 해결하기 위해 지붕을 비스듬하게 설계하고 옥상의 난간도 반투명한 철망으로 만들었다. 또한 두 개의 커다란 중정을 만들었다. 그리하여 「카사 밀라」는 햇빛도 잘 들어오고 바람도 잘 통하게 되었다.

06 ②

⑦에는 가우디를 수식하기 위한 다양한 말이 들어갈 수 있다. ①, ③, ④, ⑤는 이 글에서 가우디와 관련된 내용을 찾을 수 있다. 가우디는 고전 건축의 엄격함에서 벗어나 독창적인 건축물을 창조해 낸 건축가이므로 ② '고전 건축가'는 가우디를 꾸미는 말로 적절하지 않다.

07 ③

|완벽 마스터 문제| **1** 자연　**2** 주거 블록

16 함께 나아가야 할 과학과 철학

✅ 읽기 전 어휘 체크

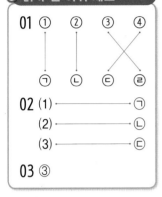

01 ① ② ③ ④
   ㉠ ㉡ ㉢ ㉣

02 (1) ——— ㉠
   (2) ——— ㉡
   (3) ——— ㉢

03 ③

#문단별 핵심 태그

1문단
고대 과학 – 과학은
[# 철학]의 한 분야였음

2문단
철학과 분리된 17세기의 과학
① – 경험적 연구 방법인 관찰과
[# 실험]의 등장

3문단
철학과 분리된 17세기의 과학
② – [# 기술]의 도입
으로 비약적 발전을 이룸

4문단
근현대 과학 – 과학은
[# 경험적], 철학은
사변적이라며 별개로 여김

5문단
과학과 철학의 바람직한
발전 방향 – 과학과 철학의
[# 조화] 추구 필요

문제 정답 및 해설

메인북 98~103쪽까지 정답이야!

독해 포인트 1 사유 2 관찰 3 관찰 4 조화

01 ④

모든 문제를 과학으로 해결할 수 있다고 여긴 것은 근현대 '과학 만능주의'에 대한 설명이다. 고대에는 철학이 중시되었고 과학은 철학의 한 부분에 불과하였다.

02 ⑤

17세기는 과학이 철학에서 분리되어 나온 시기로 #2문단 에 따르면 경험에 바탕을 둔 '관찰'과 '실험' 방법이 이 시기에 제시되었다 (ㄴ). 또한 #3문단 에서 기계의 발명과 기술의 도입이 과학에서 관찰과 실험을 더욱 중요하게 만들었다고 하였다(ㄹ).
ㄱ, ㄷ. 과학만능주의가 등장하고 생명 윤리가 중요하게 여겨진 시기는 둘 다 근현대로, 과학과 철학이 분리된 원인이 아니라 그 결과라고 볼 수 있다.

03 경험적, 사변적

#4문단 에서 근현대의 과학은 철학과는 아무런 관련이 없는 별개 의 것으로 여겨지며, 과학은 경험적, 철학은 사변적인 것으로 딱 잘라 구분되기까지 하였다고 설명하고 있다.

04 ③

#1문단 에서 ㉠ '아리스토텔레스'는 삼단 논법과 같이 오로지 사유 를 통한 논리적 추리 방법으로 자연을 연구했다고 하였다. 연구 방법으로서 경험을 중시한 것은 관찰과 실험의 연구 방법을 사용 한 ㉡ '프랜시스 베이컨'이다.

05 ③

#5문단 에 이 글의 주제가 드러난다. 글쓴이는 과학이 인간에게 진 정한 도움이 되기 위해서는 과학과 철학의 조화를 추구해야 한다 고 주장하고 있다.
① 이 글은 고대부터 17세기를 거쳐 근현대의 과학까지를 살펴보 고 있으므로 적절하지 않다. ②, ④ 17세기 과학에만 해당하는 내 용이므로 글 전체를 아우르지 못하는 제목이다. ⑤ 인간의 행복 과 과학의 관계는 이 글에서 다루고 있지 않다.

06 ①

글쓴이는 과학과 철학이 서로 상호 보완적인 관계라고 하였다. '상보적'은 서로 모자란 부분을 보충한다는 뜻으로 '상호 보완적' 과 같은 의미이다.
② '상대적'은 서로 맞서거나 비교되는 것을, ③ '상시적'은 일상 적인 것을, ④ '상투적'은 늘 써서 버릇이 되다시피 하는 것을, ⑤ '상징적'은 추상적인 개념이나 사물을 구체적인 사물로 나타내는 것을 뜻한다.

07 ⑤

|완벽 마스터 문제| 1 과학 혁명 2 생명 3 감정

17 현실을 보는 창, 풍속화

✓ 읽기 전 어휘 체크

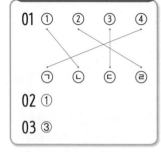

01 ① ② ③ ④
　　ㄱ　ㄴ　ㄷ　ㄹ

02 ①

03 ③

문단별 핵심 태그

1문단
조선 후기 사회의 변화로
유행하기 시작한
[# 풍속화]

2문단
조선 후기의 대표적인 풍속
화가, [# 김홍도]와
신윤복이 그린 풍속화의 특징

3문단
[# 서민]을 주로 그린
김홍도와, 양반이나 기녀를
주로 그린 신윤복

4문단
조선 후기 풍속화의 사상적 가치
— [# 인간] 중심적
사고를 보여 줌

5문단
조선 후기 풍속화의 예술적 가치
— 조선 회화의 [# 미적]
영역을 확대함

문제 정답 및 해설

독해 포인트 　1 생활상　2 배경　3 인간　4 예술

01 ④

이 글의 중심 소재는 '풍속화'로, 조선 후기의 대표적인 풍속 화가인 김홍도가 그린 풍속화를 구체적으로 설명하고 있다. 그러나 김홍도가 산수화를 그렸는지는 이 글만으로는 알 수 없다.
① 김홍도는 주로 서민들의 일상적인 모습을 소재로 풍속화를 그렸고, 신윤복은 서민이 아닌 양반이나 기녀를 주인공으로 삼았다고 하였다. ② 조선 후기 풍속화가 지닌 가치를 사상적 측면과 예술적 측면에서 살펴보고 있다. ③ 조선 후기에 상공업이 발달하면서 부자가 된 서민이 나타나고, 양반 사대부의 권위도 약해지는 분위기 속에서 풍속화가 인기를 끌었다고 설명하고 있다. ⑤ 조선 후기의 대표적인 풍속 화가로 김홍도와 신윤복을 들고 있다.

02 ③

#2문단 과 #3문단 을 보면 김홍도와 신윤복의 공통점과 차이점을 알 수 있다. ㉡ '신윤복'은 주제를 강조하기 위해 화려한 채색과 섬세한 배경 묘사를 활용하였다. 배경을 생략하여 그리는 것은 ㉠ '김홍도'가 그린 풍속화의 특징이다.

03 ②

이 글의 뒷부분에서는 조선 후기 풍속화가 가지는 가치를 설명하고 있다. #4문단 에서는 조선 후기의 인간 중심적 사고를 드러내는 양식으로서의 사상적 가치를, #5문단 에서는 조선 회화의 미적 영역을 확대했다는 예술적 가치를 나타내고 있다.

04 사람(인간)

#4문단 에서는 산수화와 풍속화에서 사람을 어떻게 표현하였는지를 중심으로 둘을 비교하고 있다. 산수화는 자연을 주로 그리는 그림으로, 사람을 그리지 않거나 자연의 부속물로 표현하였다. 한편 풍속화는 당시 사람들의 생활상을 주로 그리는 그림으로, 그림 밖에 있던 사람을 그림의 중심으로 끌어들였다.

05 ⑤

#1문단 과 #5문단 에 따르면 풍속화는 서민들의 생활 모습을 생생하게 그린 그림이다. 따라서 사람을 등장시키지 않고 자연의 모습을 그린 ⑤는 풍속화에 해당하지 않는다. ⑤는 정선의 「인왕제색도」로 산수화에 해당한다.
①은 김홍도의 「씨름」, ②는 김홍도의 「서당」, ③은 신윤복의 「상춘야흥」, ④는 신윤복의 「월하정인」이다.

06 ③

ⓐ 앞에는 서민들의 생활 형편이 나아졌다는 긍정적인 내용이, 뒤에는 양반들의 권위가 약해졌다는 부정적인 내용이 나오고 있다. 이처럼 반대되는 내용을 연결할 때에는 뒤에 오는 말이 앞의 내용과 상반됨을 나타내는 말인 '반면에'가 적절하다.

07 ②

|완벽 마스터 문제| 　1 김홍도　2 서민　3 자연

18 다수를 바꾸는 소수의 힘

✔ 읽기 전 어휘 체크

01 ① ② ③ ④
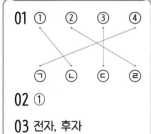
     ㉠ ㉡ ㉢ ㉣

02 ①

03 전자, 후자

#문단별 핵심 태그

1문단
아래로부터의 혁신을 이루려는
[# 소수]가 높이는
두 가지 상황

2문단
상황1 에서 [# 평균]을
이루기 위해 자발적으로
타협하는 개인

3문단
상황1 에서 소수가 공통의
[# 규범]을 형성하는 데
영향력을 발휘하는 방법

4문단
상황2 에서 소수의
[# 대안]이 기존의
규범과 경쟁하는 방법

5문단
상황2 에서 [# 집단]이
결국 새로운 규범을 선택하게
되는 과정

문제 정답 및 해설

메인북 110~115쪽까지 정답이야!

독해 포인트 **1** 규범 **2** 일관성 **3** 조건 **4** 무오류성

01 ①
#1문단 에 따르면 '위로부터의 혁신'은 혁신을 일으킬 만한 권력을 가진 지도자가 추종자들에게 새로운 행동이나 규범을 전파함으로써 일어난다고 하였다.

02 ③
#3문단 에 따르면, 상황1 에서 소수가 다수를 바꾸기 위해서는 소수가 집단의 평균과 다른 자신의 판단을 일관되게 주장해야 하며, 그 판단이 타당성을 가지고 있어야 한다. 이 조건을 만족할 때 소수는 다수에게 확실한 방향을 제시하여 공통의 규범을 만드는 데 영향력을 발휘하게 된다.

03 ②
상황2 에서 기존의 규범에 반대하는 소수는 새로운 대안을 제시하여 집단이 새로운 대안을 선택하게 만든다고 하였다. 이는 자신이 속한 집단의 변화를 이끌어 내는 것이지, 다른 집단을 만드는 것이라고 보기 어렵다.

04 ②
개인들의 타협으로 집단이 유지되는 경우는 상황1 이다. 천동설은 개인들의 타협으로 믿는 판단이 아니라, 신의 영역이었기에 당연하고 절대적으로 여겨졌던 판단이다. 보기 는 상황2 에서 소수가 집단의 규범을 바꾸는 과정을 보여 주는 사례이다.
① 상황2 에서 한 개인이 기존의 규범에 반대하면서 제시하는 규범은 기존과 거의 동등한 조건과 힘을 갖춘 대안이라고 하였다.
③ 상황2 에서 개인은 똑같은 문제를 다르게 설명함으로써 다수의 판단이 가진 무오류성에 의심을 던진다고 하였다. ④ #1문단 에서 한 집단이나 사회에서 일어나는 변화를 혁신이라고 보았다.
⑤ 상황2 에서 새로운 대안을 제시하는 소수는 진실, 아름다움, 역사와 같은 상위 범주에 호소함으로써 대안의 정당성을 주장한다고 하였다.

05 ③
③은 다수와 다른 의견을 내는 소수를 부정적으로 바라보고 있다. 나머지는 다수와 다른 의견을 내는 소수가 사회 발전에 긍정적인 영향을 끼친다고 보고 있다.

06 ②
ⓐ '동의하다'는 '의사나 의견을 같이하다.'라는 뜻이다. 그런데 '알맞다'는 '일정한 기준, 조건, 정도에 넘치거나 모자라지 않는 데가 있다.'라는 뜻이므로 ⓐ와 바꾸어 쓰기에 적절하지 않다.

07 ①
|완벽 마스터 문제| **1** 평균 **2** 동조 **3** 타협

19 기계화와 자동화의 두 얼굴

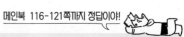

✓ 읽기 전 어휘 체크

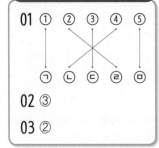

01 ① ② ③ ④ ⑤
    ㉠ ㉡ ㉢ ㉣ ㉤

02 ③

03 ②

#문단별 핵심 태그

1문단
기계화와 자동화의 긍정적 측면
— [# 생산성]을
극대화하고 인간에게
편리함을 가져다줌

2문단
기계화와 자동화의 부정적 측면
① — 자본주의 체제하에서
[# 실업자]를 양산함

3문단
기계화와 자동화의 부정적 측면
② — [# 정보 통신] 기술이
더해져 노동자를 감시하고
통제함

4문단
글쓴이의 관점 — 과학 기술의
발전을 [# 균형] 잡힌
시각으로 바라보아야 함

문제 정답 및 해설

메인북 116~121쪽까지 정답이야!

독해 포인트   1 노동   2 생산성   3 실업자   4 노동자

01 ⑤

이 글은 기계화와 자동화의 긍정적인 측면과 부정적인 측면을 제시하면서 과학 기술 발전을 균형 잡힌 시각으로 보아야 한다고 주장하고 있다. 따라서 이 글의 제목 '기계화와 자동화의 두 얼굴'의 의미로는 ⑤가 가장 적절하다.

02 ⑤

사람이 하던 일을 기계가 대신 함으로써 생산성을 높일 수는 있지만, 이로 인해 그 업무를 하던 사람은 일자리를 잃는 경우가 생기기도 한다. 그러므로 기계화와 자동화는 실업 문제를 해결하는 것이 아니라 오히려 실업 문제를 더 촉진할 수 있다.
① #2문단 에서 기계화·자동화된 시스템은 우리 생활에 편리함과 효율성을 주었다고 하였다. ② #3문단 에서 자동화에 정보 통신 기술이 더해져 어디서나 업무 관리가 가능해졌다고 하였다. ③, ④ #1문단 에서 기계가 사람이 하던 일을 대신 함으로써 제품 생산과 업무 처리가 정확해지고 빨라졌다고 하였다. 또한 사람들이 고된 노동과 단순한 업무에서도 벗어날 수 있게 되었다고 하였다.

03 ④

이 글의 #2문단 과 #3문단 에서는 기계화와 자동화가 실업자를 양산하고, 노동자에 대한 감시와 통제에 활용되어 노동자의 인권을 침해할 수 있다는 점을 지적하고 있다.

04 ②

○○ 사는 자동화 기기를 도입하여 직원 수는 줄이고 생산량은 늘리고 있으므로 인건비가 줄어들었을 것이라고 예측할 수 있다.
① 자동화 기기를 꾸준하게 늘렸다고 했으므로 자동화를 긍정적으로 여기고 있다고 볼 수 있다. ③ 보기 의 그래프로는 직원 수의 변화와 생산량의 변화만 알 수 있다. ④ 직원 수는 줄었으나 생산량은 유지되거나 조금씩 오르고 있으므로 생산성이 나아졌다고 볼 수 있다. ⑤ 2000년에 150명이 넘던 직원 수가 2020년 이후에는 110명 정도로 줄었으므로, 약 40명의 실업자가 발생했다고 추측할 수 있다.

05 A: 부작용
   B: 균형

이 글의 마지막 문장에서 과학 기술의 발전에 대한 글쓴이의 생각을 밝히고 있다.

06 ④

'순기능'과 '역기능'은 뜻이 서로 반대이다. 그런데 ④의 '유약하다'는 '부드럽고 약하다.'라는 뜻이고, '유연하다'는 '부드럽고 연하다.'라는 뜻이므로 뜻이 유사하다.

07 ③

|완벽 마스터 문제| 1 근로   2 스마트폰   3 자동화

20 음악의 의미는 어디에서나 같을까

융합 사회 + 예술

✅ 읽기 전 어휘 체크

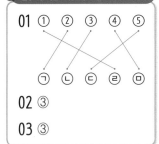

01 ① ② ③ ④ ⑤

02 ③

03 ③

#문단별 핵심 태그

가
전형적인 [# 서양]
음악을 보편적인 음악으로
여기는 통념 제시

나
통념을 반박하는 사례 ① —
교향곡의 [# 조율]
과정을 음악으로 여긴
동양의 음악가

다
통념을 반박하는 사례 ② —
[# 단조]로 된 곡을
저마다 다르게 느낀 아마존 부족

라
통념을 반박하는 사례 ③ —
[# 노래]를 음악으로
간주하지 않는 다양한 사례

마
사회·문화와 밀접한 연관을
가지고 만들어지며 이를 바탕으로
향유되는 [# 음악]

문제 정답 및 해설

메인북 122-127쪽까지 정답이야!

독해 포인트 1 서양 2 악기 3 단조 4 노래

01 ③

통계 자료는 어떤 현상을 종합적으로 한눈에 알아보기 쉽게 일정한 체계에 따라 숫자로 나타낸 자료를 말한다. (나)에서는 통계 자료가 아니라 구체적인 사례를 제시하고 있다.

02 사회·문화

글쓴이는 (가)에서 서양의 음악이 보편적인 음악이라는 통념을 제시하고 이어지는 문단에서 이를 반박하고 있다. 그리고 (마)에서 음악은 그 음악이 만들어지고 향유되는 사회·문화와 밀접한 연관을 가지고 있다는 생각을 드러내고 있다.

03 ③

①, ②, ④, ⑤의 사례들은 전형적인 서양의 음악이 보편적인 음악이 아니며, 사회·문화에 따라 음악의 체계나 정의 등이 다를 수 있음을 보여 주는 사례들이다. 그러나 ③은 서양의 음악이 보편적인 음악이라는 믿음을 보여 주는 사례이다.

04 ③

(보기)의 '이 곡'은 가사가 없으며 악기로만 연주하는 기악곡이다. 그런데 (라)에서 ㉠ '미국의 일부 침례교도들'은 악기 연주만을 음악으로 분류한다고 하였다. 따라서 '이 곡'은 음악으로 분류될 것이다. 그리고 ㉡ '유고슬라비아의 마케도니아 부족'에게는 '음악'이라는 용어가 없고 오로지 '노래'와 '기악곡'만이 존재한다고 하였다. 따라서 '이 곡'은 '기악곡'이라고 불리며, '음악'으로 불릴 수 없을 것이다.

05 ③

(보기)의 사례는 교육과 같은 사회·문화적 조건이 음악을 듣고 느끼는 감정도 좌우할 수 있음을 보여 준다. 이것은 같은 음악을 듣는 사람들은 모두 같은 느낌을 받을 것이라는 (가)의 통념을 반박한다. 한편 어떤 음악에서 특정한 감흥을 느끼는 능력을 타고났다는 ③의 내용은 후천적으로 특정한 음악에 대한 감흥을 배울 수 있다는 것을 보여 주는 (보기)의 내용과 반대되는 설명이다.

06 ③

'고개를 흔들다.'는 '고개를 좌우로 움직여 부정이나 거절의 뜻을 나타내다.'라는 뜻이다.
①은 '고개를 돌리다.', ②는 '고개를 들다.', ④는 '고개를 끄덕이다.', ⑤는 '고개를 숙이다.'의 뜻이다.

07 ①

|완벽 마스터 문제| ❶ 조율 ❷ 음정 ❸ 지휘자

MEMO

메모하는 곳!

초등부터 수능까지 필수 어휘력과 독해력을 학습합니다.

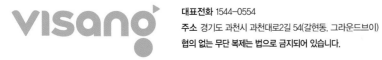

대표전화 1544-0554
주소 경기도 과천시 과천대로2길 54(갈현동, 그라운드브이)
협의 없는 무단 복제는 법으로 금지되어 있습니다.